善品堂藏書·熊伯齊·篆

图书在版编目（CIP）数据

王蒙评点《红楼梦》/ 王蒙评注 .—北京：人民文学出版社，2014

ISBN 978-7-02-010570-0

Ⅰ.①王… Ⅱ.①王… Ⅲ.①《红楼梦》评论 Ⅳ.①I207.411

中国版本图书馆 CIP 数据核字（2014）第 163383 号

王蒙评点《红楼梦》

著　　者　王　蒙

责任编辑　杨　柳

策　　划　善品堂藏书

出版发行　人民文学出版社

地　　址　北京市东城区朝阳门内大街一六六号

邮　　编　一〇〇七〇五

电　　话　六五二二〇九六一

网　　址　http://www.rw-cn.com

印　　刷　北京市宏泰印刷有限公司

字　　数　一〇七二千字

印　　张　一九六

版　　次　二〇一四年八月第一版第一次印刷

印　　数　一〇〇〇套

定　　价　二二六〇元（一函八册）

ISBN 978-7-02-010570-0

善品堂藏书

王蒙 评点

红楼梦

人民文学出版社

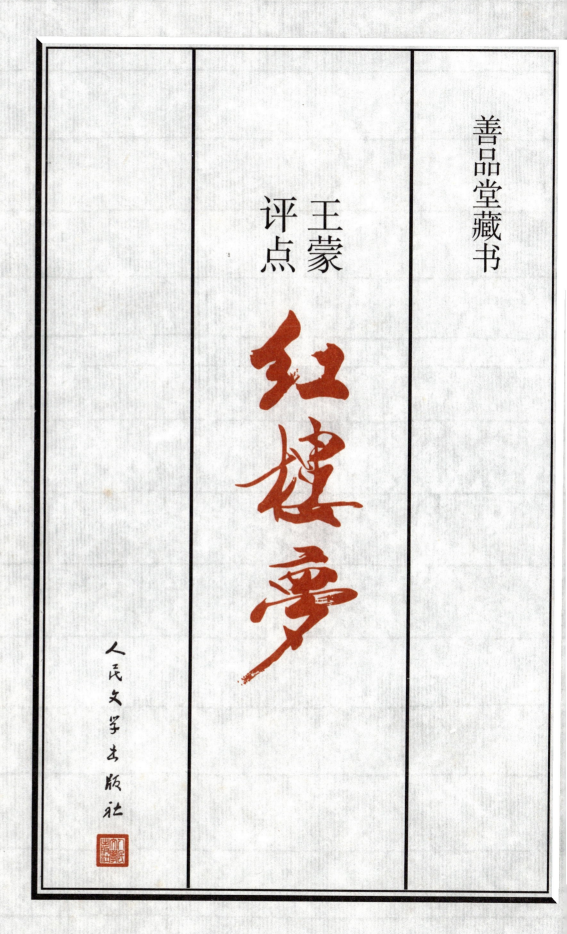

线装本序

在现代、后现代的元素弥漫飞扬，网络浏览挤压阅读，微信段子取代经典，视频音频的消费冲击着文字书页，达人秀、好声音批量地制造速成明星的时候，说说古典，出出线装，翻翻几千年几百年前的言语记述，其实是正当其时，恰恰可以弥补一下如今的浮躁与浅俗。

《老子》《庄子》《红楼梦》，这是真正中华文化的奇葩，是奇葩的原义，是惊人的智慧花朵，是至今仍然生动鲜活，令人拍案惊奇的文化瑰宝。

正当人们竞争得头破血流、手忙脚乱之时，读读无为而治的众妙之门，想想治大国如烹小鲜的惊世潇洒，说说无用之大用，叙叙鲲鹏展翅、槁木死灰、庖丁解牛、大匠运斤、螳臂当车的故事，再为宝玉黛玉、归我大荒的故事洒几滴辛酸之泪，从股票、利润、级别、名位的较量中解放那么一会子，回到人性人情人的智力心灵的审视中来，岂不正是吾辈梦寐以求的吗？

王蒙的主业是小说。但是我从小爱琢磨这些老书。我的期待是越过古汉语文字训诂的关隘，尽量使用专家前贤的注疏成果，踩在人家的肩膀上，复原古书著者的活泼、体温、现实性、生动性、针对性、牛气哄哄或哀意绵绵，用王的生命，去拥抱与激活李耳、庄周、曹雪芹以至宝玉、黛玉、空空道人等的生命，与他们交流，与他们共舞，与他们共寻中华文化的天机。

然后回到线装书的文质彬彬、柔可绕指、温婉如玉、芬芳四溢的氛围中来：读书不仅是读符号，也是读实体，是主体与客体的融合，是主体与客体的互相享受，是人与书的互动互赏互赞，是古与今的豪迈对谈。幸哉，大活人王某将古代的大活人老庄雪芹引到豪华线装的古典书厅里来，让我们一起发思古之幽情，让我们一起享文化之深厚，让我们发现在别的书里、别样的装帧里不可能发现的一个新世界。

王蒙

王蒙，河北南皮人，一九三四年生于北京。一九五三年创作长篇小说《青春万岁》，一九五七年因小说《组织部来了个年轻人》被错划为右派，一九六三年起在新疆生活工作十六年，一九七九年调回北京。曾任《人民文学》主编、中国作家协会副主席、文化部部长、全国政协文史和学习委员会主任，中共中央委员、全国政协常委。王蒙的写作以文学为主，兼及思想文化、社会历史和古典文学研究阐释等领域，六十多年来出版、发表作品近两千万字。

前言

我爱读《红楼梦》。《红楼梦》是一本最经得住读，经得住分析，经得住折腾的书。

《红楼梦》是经验的结晶。人生经验，社会经验，感情经验，政治经验，艺术经验，无所不备。《红楼梦》就是人生。《红楼梦》帮助你体验人生。读一部《红楼梦》，等于活了一次，至少是活了二十年。读《红楼梦》就是与《红楼梦》的作者的一次对话，一次『经验交流』。以自己的经验去理解《红楼梦》的经验，以《红楼梦》的经验去验证、补充启迪自己的经验。你的经验、你的人生便无比地丰富了，鲜活了。

《红楼梦》又是一部充满想象的书。它留下了太多的玄想、奇想、遐想、谜语、神话、还来不及好好梳理，因此需要你的智慧的信息……它使你猜测，使你迷惑，使你入魔，使你进入了另一个世界。于是你觉悟了：原来世界不止一个，原来你有那么多种有待探索和发现的世界。

读完《红楼梦》，你能和没有读它以前一样么？

《红楼梦》是一部令人解脱的书。万事都经历了，便只有大怜悯大淡漠大欢喜大虚空。便只有无。所有的有都像是谵妄直至欺骗，而只有无最实在，便不再有或不再那么计较那些渺小的红尘琐事。便活得稍稍潇洒了——当然也是悲凉了些。

读过《红楼梦》以后，你当懂得潇洒里自有悲凉，悲凉里自有潇洒的道理。

王蒙评点

红楼梦

《红楼梦》是一部执着的书。它使你觉得，世界上本来还是有一些让人值得为之生为之死为之哭为之笑为之发疯的事情。它使你觉得，活一遭还是值得的；所以，死也是可以死得值得的。为了活而死也是值得的。一百样消极的情绪也掩盖不下去人生的无穷滋味！

这样，读一次《红楼梦》，又等于让你年轻了二十年。

《红楼梦》令你叹息。《红楼梦》令你惆怅。《红楼梦》令你聪明。《红楼梦》令你迷惑。《红楼梦》令你心碎。

《红楼梦》令你觉得汉语汉字真是无与伦比。《红楼梦》使你觉得神秘，觉得冥冥中有一种不可思议的伟大。

你会觉得：不可能是任何个人写出了《红楼梦》。《红楼梦》里的人物都已经成了精。《红楼梦》里的事情已经都成了命。他们已经走入了你的生活，你甚至于无法驱逐他们。

是那冥冥中的伟大写了《红楼梦》。假曹雪芹之手写出了它，又假那么多人的眼睛包括王蒙的眼睛从中看出了一些什么，得到了一些什么。

《红楼梦》是一部文化的书。它似乎已经把汉语汉字汉文学的可能性用尽了，把我们的文化写完了。

《红楼梦》是一部百科全书，而且不仅是封建社会的。几乎是，你的一切经历经验喜怒哀乐都能从《红楼梦》里找到参照，找到解释，找到依托，也找到心心相印的共振。

《红楼梦》又是一个智力与情感、推理与感悟、焦躁与宁安的交换交叉作用场。你有没有唱完没有唱起来的戏么？你有还需要操练和发挥的智力精力和情感么？你有需要卖弄或者奉献的才华与学识么？你有还没有哭完的眼泪么？请到《红楼梦》这方来！来多少个这里都容得下！

尤其是，《红楼梦》其实什么也没有告诉你。你永远为之争论，为之痛苦，你说不明白，为什么是这样而不是那样，是他而不是她。你更弄不明白，究竟是谁比谁好一些或者不好一些谁比谁可爱一些或者不可爱一些究竟哪一段更真实一些还是哪一段更假语村言……

再加上『红学』，你和《红楼梦》较劲吧，你永远不可能征服它，它却强大得可以占领你的一生。

《红楼梦》永远是一部刚刚出版的新书。

读《红楼梦》是一次勇敢的精神探求。在那个世界里，你将听到什么、得到什么呢？

在一次又一次探求中，我写下了一些与曹雪芹，与宝玉、黛玉，与贾政、王夫人……的对话与辩论。评点，真是一个好主意。与《红楼梦》朝夕相处，切磋琢磨，这是缘分，也是福气。

目录

第一回 甄士隐梦幻识通灵 贾雨村风尘怀闺秀 …… 一
第二回 贾夫人仙逝扬州城 冷子兴演说荣国府 …… 一五
第三回 托内兄如海荐西宾 接外孙贾母惜孤女 …… 二六
第四回 薄命女偏逢薄命郎 葫芦僧判断葫芦案 …… 四一
第五回 贾宝玉神游太虚境 警幻仙曲演红楼梦 …… 五一
第六回 贾宝玉初试云雨情 刘老老一进荣国府 …… 六八
第七回 送宫花贾琏戏熙凤 宴宁府宝玉会秦钟 …… 八〇
第八回 贾宝玉奇缘识金锁 薛宝钗巧合认通灵 …… 九二
第九回 训劣子李贵承申饬 嗔顽童茗烟闹书房 …… 一〇六
第十回 金寡妇贪利权受辱 张太医论病细穷源 …… 一一五
第十一回 庆寿辰宁府排家宴 见熙凤贾瑞起淫心 …… 一二四
第十二回 王熙凤毒设相思局 贾天祥正照风月鉴 …… 一三五
第十三回 秦可卿死封龙禁尉 王熙凤协理宁国府 …… 一四二
第十四回 林如海捐馆扬州城 贾宝玉路谒北静王 …… 一五一

第十五回 王凤姐弄权铁槛寺 秦鲸卿得趣馒头庵 …… 一六〇
第十六回 贾元春才选凤藻宫 秦鲸卿夭逝黄泉路 …… 一六九
第十七回 大观园试才题对额 荣国府归省庆元宵 …… 一八一
第十八回 皇恩重元妃省父母 天伦乐宝玉呈才藻 …… 一九八
第十九回 情切切良宵花解语 意绵绵静日玉生香 …… 二一一
第二十回 王熙凤正言弹妒意 林黛玉俏语谑娇音 …… 二二八
第二十一回 贤袭人娇嗔箴宝玉 俏平儿软语救贾琏 …… 二三八
第二十二回 听曲文宝玉悟禅机 制灯谜贾政悲谶语 …… 二五〇
第二十三回 西厢记妙词通戏语 牡丹亭艳曲警芳心 …… 二六四
第二十四回 醉金刚轻财尚义侠 痴女儿遗帕惹相思 …… 二七五
第二十五回 魇魔法叔嫂逢五鬼 通灵玉蒙蔽遇双真 …… 二八九
第二十六回 蜂腰桥设言传心事 潇湘馆春困发幽情 …… 三〇三
第二十七回 滴翠亭杨妃戏彩蝶 埋香冢飞燕泣残红 …… 三一六
第二十八回 蒋玉函情赠茜香罗 薛宝钗羞笼红麝串 …… 三二八
第二十九回 享福人福深还祷福 多情女情重愈斟情 …… 三四七

第三十回　宝钗借扇机带双敲　椿龄画蔷痴及局外……三六三
第三十一回　撕扇子作千金一笑　因麒麟伏白首双星……三七五
第三十二回　诉肺腑心迷活宝玉　含耻辱情烈死金钏……三八九
第三十三回　手足眈眈小动唇舌　不肖种种大承笞挞……四〇〇
第三十四回　情中情因情感妹妹　错里错以错劝哥哥……四一〇
第三十五回　白玉钏亲尝莲叶羹　黄金莺巧结梅花络……四二五
第三十六回　绣鸳鸯梦兆绛芸轩　识分定情悟梨香院……四四〇
第三十七回　秋爽斋偶结海棠社　蘅芜院夜拟菊花题……四五二
第三十八回　林潇湘魁夺菊花诗　薛蘅芜讽和螃蟹咏……四七〇
第三十九回　村老老是信口开河　情哥哥偏寻根究底……四八四
第四十回　史太君两宴大观园　金鸳鸯三宣牙牌令……四九五
第四十一回　贾宝玉品茶栊翠庵　刘老老醉卧怡红院……五一二
第四十二回　蘅芜君兰言解疑癖　潇湘子雅谑补余音……五二四
第四十三回　闲取乐偶攒金庆寿　不了情暂撮土为香……五三八
第四十四回　变生不测凤姐泼醋　喜出望外平儿理妆……五五〇

第四十五回　金兰契互剖金兰语　风雨夕闷制风雨词……五六二
第四十六回　尴尬人难免尴尬事　鸳鸯女誓绝鸳鸯偶……五七七
第四十七回　呆霸王调情遭苦打　冷郎君惧祸走他乡……五九一
第四十八回　滥情人情误思游艺　慕雅女雅集苦吟诗……六〇四
第四十九回　琉璃世界白雪红梅　脂粉香娃割腥啖膻……六一五
第五十回　芦雪亭争联即景诗　暖香坞雅制春灯谜……六二八
第五十一回　薛小妹新编怀古诗　胡庸医乱用虎狼药……六四六
第五十二回　俏平儿情掩虾须镯　勇晴雯病补雀毛裘……六五九
第五十三回　宁国府除夕祭宗祠　荣国府元宵开夜宴……六七三
第五十四回　史太君破陈腐旧套　王熙凤效戏彩斑衣……六八六
第五十五回　辱亲女愚妾争闲气　欺幼主刁奴蓄险心……七〇一
第五十六回　敏探春兴利除宿弊　贤宝钗小惠全大体……七一五
第五十七回　慧紫鹃情辞试莽玉　慈姨妈爱语慰痴颦……七三〇
第五十八回　杏子阴假凤泣虚凰　茜纱窗真情揆痴理……七四九
第五十九回　柳叶渚边嗔莺叱燕　绛芸轩里召将飞符……七六〇

第六十回　茉莉粉替去蔷薇硝　玫瑰露引出茯苓霜……七六八
第六十一回　投鼠忌器宝玉瞒赃　判冤决狱平儿行权……七八三
第六十二回　憨湘云醉眠芍药茵　呆香菱情解石榴裙……七九四
第六十三回　寿怡红群芳开夜宴　死金丹独艳理亲丧……八一五
第六十四回　幽淑女悲题五美吟　浪荡子情遗九龙佩……八三二
第六十五回　贾二舍偷娶尤二姨　尤三姐思嫁柳二郎……八四九
第六十六回　情小妹耻情归地府　冷二郎一冷入空门……八六一
第六十七回　见土仪颦卿思故里　闻秘事凤姐讯家童……八七〇
第六十八回　苦尤娘赚入大观园　酸凤姐大闹宁国府……八八七
第六十九回　弄小巧用借剑杀人　觉大限吞生金自逝……九〇一
第七十回　林黛玉重建桃花社　史湘云偶填柳絮词……九一二
第七十一回　嫌隙人有心生嫌隙　鸳鸯女无意遇鸳鸯……九二三
第七十二回　王熙凤恃强羞说病　来旺妇倚势霸成亲……九三七
第七十三回　痴丫头误拾绣春囊　懦小姐不问累金凤……九四九
第七十四回　惑奸谗抄检大观园　避嫌隙杜绝宁国府……九六二

第七十五回　开夜宴异兆发悲音　赏中秋新词得佳谶……九八二
第七十六回　凸碧堂品笛感凄清　凹晶馆联诗悲寂寞……九九七
第七十七回　俏丫鬟抱屈夭风流　美优伶斩情归水月……一〇一一
第七十八回　老学士闲征姽婳词　痴公子杜撰芙蓉诔……一〇二九
第七十九回　薛文龙悔娶河东吼　贾迎春误嫁中山狼……一〇四七
第八十回　美香菱屈受贪夫棒　王道士胡诌妒妇方……一〇五六
第八十一回　占旺相四美钓游鱼　奉严词两番入家塾……一〇六七
第八十二回　老学究讲义警顽心　病潇湘痴魂惊恶梦……一〇七八
第八十四回　试文字宝玉始提亲　探惊风贾环重结怨……一一〇六
第八十五回　贾存周报升郎中任　薛文起复惹放流刑……一一一八
第八十六回　受私贿老官翻案牍　寄闲情淑女解琴书……一一三二
第八十七回　感秋深抚琴悲往事　坐禅寂走火入邪魔……一一四三
第八十八回　博庭欢宝玉赞孤儿　正家法贾珍鞭悍仆……一一五五
第八十九回　人亡物在公子填词　蛇影杯弓颦卿绝粒……一一六七
第九十回　失绵衣贫女耐嗷嘈　送果品小郎惊叵测……一一七七

第九十一回 纵淫心宝蟾工设计 布疑阵宝玉妄谈禅……一一八九
第九十二回 评女传巧姐慕贤良 玩母珠贾政参聚散……一一九八
第九十三回 甄家仆投靠贾家门 水月庵掀翻风月案……一二一〇
第九十四回 宴海棠贾母赏花妖 失宝玉通灵知奇祸……一二二一
第九十五回 因讹成实元妃薨逝 以假混真宝玉疯颠……一二三六
第九十六回 瞒消息凤姐设奇谋 泄机关颦儿迷本性……一二四七
第九十七回 林黛玉焚稿断痴情 薛宝钗出闺成大礼……一二五八
第九十八回 苦绛珠魂归离恨天 病神瑛泪洒相思地……一二七五
第九十九回 守官箴恶奴同破例 阅邸报老舅自担惊……一二八五
第一百回 破好事香菱结深恨 悲远嫁宝玉感离情……一二九五
第一百一回 大观园月夜感幽魂 散花寺神签惊异兆……一三〇四
第一百二回 宁国府骨肉病灾祲 大观园符水驱妖孽……一三一七
第一百三回 施毒计金桂自焚身 昧真禅雨村空遇旧……一三二六
第一百四回 醉金刚小鳅生大浪 痴公子余痛触前情……一三三七
第一百五回 锦衣军查抄宁国府 骢马使弹劾平安州……一三四七

王蒙评点 红楼梦

第一百六回 王熙凤致祸抱羞惭 贾太君祷天消祸患……一三五七
第一百七回 散余资贾母明大义 复世职政老沐天恩……一三六七
第一百八回 强欢笑蘅芜庆生辰 死缠绵潇湘闻鬼哭……一三七八
第一百九回 候芳魂五儿承错爱 还孽债迎女返真元……一三九〇
第一百十回 史太君寿终归地府 王凤姐力诎失人心……一四〇五
第一百十一回 鸳鸯女殉主登太虚 狗彘奴欺天招伙盗……一四一七
第一百十二回 活冤孽妙尼遭大劫 死雠仇赵妾赴冥曹……一四三一
第一百十三回 忏宿冤凤姐托村妪 释旧憾情婢感痴郎……一四四四
第一百十五回 惑偏私惜春矢素志 证同类宝玉失相知……一四六五
第一百十六回 得通灵幻境悟仙缘 送慈柩故乡全孝道……一四七八
第一百十七回 阻超凡佳人双护玉 欣聚党恶子独承家……一四九一
第一百十八回 记微嫌舅兄欺弱女 惊谜语妻妾谏痴人……一五〇四
第一百十九回 中乡魁宝玉却尘缘 沐皇恩贾家延世泽……一五一八
第一百二十回 甄士隐详说太虚情 贾雨村归结红楼梦……一五三五

第一回　甄士隐梦幻识通灵　贾雨村风尘怀闺秀

此开卷第一回也。作者自云曾历过一番梦幻之后，故将真事隐去，而借『通灵』说此《石头记》一书也，故曰『甄士隐』云云。（既为梦幻，何真事之有？『曾历……』『故隐……』可见所历是真，非梦，但最后又确是一番梦幻，至少感到是梦了。梦耶？真耶？是人生的『根本』问题，也是文学的根本问题。无真无文学，无梦行吗？）但书中所记何事何人？自己又云：『今风尘碌碌，一事无成，忽念及当日所有之女子，一一细考较去，觉其行止见识皆出我之上。我堂堂须眉，诚不若彼裙钗，我实愧则有余，悔又无益，大无可如何之日也！当此日，欲将已往所赖天恩祖德，锦衣纨绔之时，饫甘餍肥之日，背父兄教育之恩，负师友规训之德，以致今日一技无成，半生潦倒之罪，编述一集，以告天下，知我之负罪固多，（天恩祖德、锦衣纨绔、饫甘餍肥的追忆、怀旧、挽歌。『背教』『负训』『无成』『潦倒』，忏悔录。能真诚忏悔的作家可爱了。）然闺阁中历历有人，万不可因我之不肖，自护己短，一并使其泯灭也。故当此蓬牖茅椽，绳床瓦灶，未足妨我襟怀；况对着晨风夕月，阶柳庭花，更觉润人笔墨。虽我不学无文，又何妨用假语村言，敷演出来，亦可使闺阁昭传，复可破一时之闷，醒同人之目，不亦宜乎？（立传。立传是怀旧的好方法，也是对时光流逝、对死亡的一种对抗。解闷。非不郑重。非端起架子。怀旧、忏悔、立传、解闷，这是曹雪芹的『文学动机说』兼『文学功能论』。）故曰『贾雨村』云云。更于篇中间用『梦』『幻』等字，却是此书本旨，兼寓提醒阅者之意。』（旨在提醒一切皆梦幻，不可太痴迷，这是作者的真诚表白，却又自相矛盾。如尽为梦幻，还怀旧、忏悔、立传做什么？中国特色的方法论：从大、玄、古、源破题，从发生学奠基，从0→1开始。零一，余一，注定了中式多余的人——石块的命运。）

看官：你道此书从何而起？说来虽近荒唐，细玩深有趣味。却说那女娲氏炼石补天之时，于大荒山无稽崖炼成高十二丈、见方二十四丈大的顽石三万六千五百零一块，那娲皇只用了三万六千五百块，单单剩下一块未用，弃在青埂峰下。谁知此石自经锻炼之后，灵性已通，自去自来，可大可小，因见众石俱得补天，独自己无才，不得入选，遂自怨自愧，日夜悲哀。（煅炼，或锻炼！此二字颇具现代感。未说众石多么『有才』，而自怨『无才』，真谦虚么？或因他石更无才，却能入选。只说自怨自愧，自然无谤无争。嗟而悼之，作家本分，而已。）

补天故事讲得随意，漫不经心，有信口开河的风格，又包含一种难舍的隐痛，近乎癫狂的自嘲，自嘲中流露出彻骨的悲哀。一个糊里糊涂的故事，恍兮惚兮，难得糊涂，混沌、无解。混沌是无解，也是陶渊明不求的那种『甚解』。

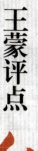

一日，正当嗟悼之际，俄见一僧一道远远而来，生得骨格不凡，丰神迥异，来到这青埂峰下，席地坐谈。见着这块鲜莹明洁的石头，且又缩成扇坠一般，甚属可爱，（鲜莹明洁。缩。确可爱也。没有商品意识，一笑。多管闲事。）那僧托于掌上，笑道：『形体倒也是个灵物了，只是没有实在的好处，须得再镌上几个字，使人人见了便知你是件奇物，然后携你到那昌明隆盛之邦、诗礼簪缨之族、花柳繁华地、温柔富贵乡那里去走一遭。』（人间自有好去处也。惜不是人皆去得。生前焉知生命事？死前焉知？）石头听了大喜，因问：『不知可镌何字？携到何方？望乞明示。』（谁不知？石头不知。僧亦不知吗？人不知，『上帝』亦不知吗？）那僧笑道：『你且莫问，日后自然明白。』说毕，便袖了，同那道人飘然而去，竟不知投向何方。（人生就是『走一遭』！）

又不知过了几世几劫，因有个空空道人访道求仙，从这大荒山无稽崖青埂峰下经过，忽见一块大石，（不是俄见就是忽见，实无计划。）上面字迹分明，编述历历；空空道人乃从头一看，原来是无才补天、幻形入世、被那茫茫大士渺渺真人携入红尘、引登彼岸的一块顽石，（茫茫，渺渺，别有一种悲哀。彼岸是红尘还是『后红尘』？）上面叙着堕落之乡，投胎之处，以及家庭琐事，闺阁闲情，诗词谜语，倒还全备。只是朝代年纪，失落无考。（失考，考它做甚？于朝代年纪的事么？敢于朝代年纪么？无才故而未补乎？未补故而命定无才乎？说不行就不行，不服不行。）后面又有一偈云：

无才可去补苍天，枉入红尘若许年；

此系身前身后事，倩谁记去作奇传？（虽未补天，尚可传奇，爬格子者还差强己意。）

空空道人看了一回，晓得这石头有些来历，遂向石头说道：『石兄，你这一段故事，据你自己说来，有些趣味，故镌写在此，意欲闻世传奇。据我看来，第一件，无朝代年纪可考；第二件，并无大贤大忠、理朝廷、治风俗的善政，其中只不过几个异样女子，或情或痴，或小才微善，我纵然抄去，也算不得一种奇书。』（第一，时代性不强。第二，没有理想与理想人物。小才微善，足矣。否则即是妄。）石头果然答道：『我师何必太痴！我想历来野史的朝代，无非假借「汉」「唐」的名色，（无非假借，请高抬贵手，莫过于执。）莫如我这石头所记，不借此套，只按自己的事体情理，反倒新鲜别致。（不借俗套，只按自己的，即独创的事体情理，即生活逻辑。）况且那野史中，或讪谤君相，或贬人妻女，奸淫凶恶，不可胜数。更有一种风月笔墨，其淫秽污臭，最易坏人子弟。至于才子佳人等书，则又开口「文君」，满篇「子建」，千部一腔，千人一面，且终不能不涉淫滥。（既中要害，又因模糊处理而嫌打击面略宽。）在作者不过要写出自己的两首情诗艳赋来，故假捏出男女二人名姓，又必旁添一小人拨乱其间，如戏中小丑一般。更可厌者，「之乎者也」，非理即文，大不近情，自相矛盾。（写作者常常产生一种压倒时文的冲动，雪芹亦如此。）竟不如我半世亲见亲闻的这几个女子，（亲见亲闻！叫做「有生活依据」。但并非全是亲见，闻就隔着一层了。所以亦不能刻舟求剑，按图索骥。）虽不敢说强似前代书中所有之人，但观其事迹原委，亦可消愁破闷；至于几首歪诗，亦可以喷饭供酒。其间离合悲欢，兴衰际遇，俱是按迹循踪，不敢稍加穿凿，至失其真。（既可喷饭，又循兴衰。）只愿世人当那醉余睡醒之时，或避事消愁之际，把此一玩，不但洗了旧套，换新眼目，却也省了些寿命筋力，不比那谋虚逐妄。（把此一玩，不排斥玩，当然不仅仅是玩，这就通情达理了。）我师意为何如？』空空道人听如此说，思忖半晌，将这《石头记》再检阅一遍，因见上面大旨不过谈情，亦只实录其事，绝无伤时淫秽之病，方从头至尾抄写回来，闻世传奇。（只实录，就能解开伤时、淫秽的指责了么？不伤时，不淫秽，就有了安全系数了。）从此空空道人因空见色，由色生情，传情入色，自色悟空，遂改名情僧，改《石头记》为《情僧录》。东鲁孔梅溪题曰《风月宝鉴》。后因曹雪芹于悼红轩中，披阅十载，增删五次，纂成目录，分出章回，又题曰《金陵十二钗》，并题一绝。即此便是《石头记》的缘起。诗云：

满纸荒唐言，一把辛酸泪！

都云作者痴，谁解其中味？（亦道亦僧，亦色亦空，亦情亦僧，亦石头记亦情僧录亦金陵十二钗，亦荒唐亦辛酸，亦痴亦有味。中华文士实是辩证得紧！很难找到比这二十个字更好的作家自叹了。二十字意味无穷。）

曹雪芹写了一大段对于『通俗文学』的批评，主要批评两条：色情与公式化。倒也切中。一、曹公确有此意见。二、曹公表白自己还是正人君子，反对淫秽污臭，实是大大的好人。三、表白自己的严谨、独创，并无不良居心的创作方法。三者皆存，以『三』

为主。作者文学上其实自负自信。小说里夹着文论，倒也『现代』！一个绝妙的爱情神话故事。神话故事确又是现实故事的升华。是悲哀的爱情故事的飞升。这个故事统御着宝黛爱情故事的全过程。令人神往。令人能不泪下！

《石头记》缘起既明，正不知那石头上面记着何人何事，（石头上写的。当一个像样的作家写出一部像样的作品的时候，他确实不认为那作品是他老兄『编』出来的，而认为是先验地存在于宇宙的某个角落——大荒、无稽、青埂、顽石上的。这也是『文章本天成』之意。）看官请听——

按那石上书云：当日地陷东南，这东南有个姑苏城，城中阊门，最是红尘中一二等富贵风流之地。这阊门外有个十里街，街内有个仁清巷，巷内有个古庙，因地方狭窄，人皆呼作『葫芦庙』。庙旁住着一家乡宦，姓甄名费，字士隐。嫡妻封氏，性情贤淑，深明礼义。家中虽不甚富贵，然本地也推他为望族了。因这甄士隐禀性恬淡，不以功名为念，每日只以观花种竹、酌酒吟诗为乐，倒是神仙一流人物。（神仙非人物，人物非神仙。人物而神仙化，祸欤福欤？）只是一件不足，年过半百，膝下无儿，只有一女，乳名英莲，年方三岁。

一日炎夏永昼，士隐于书房闲坐，手倦抛书，伏几盹睡，不觉朦胧中走至一处，不辨是何地方。（一梦就什么都有了。）忽见那厢来了一僧一道，且行且谈，只听道人问道：『你携了此物，意欲何往？』那僧笑道：『你放心，如今现有一段风流公案，正该了结，这一干风流冤家尚未投胎入世，趁此机会，就将此物夹带于中，使他去经历经历。』那道人道：『原来近日风流冤家又将造劫历世，但不知起于何处？落于何方？』（又搞上发生学了。发生学的魅力在于不清不楚。风流冤家，造劫历世，中国独有的带调侃的哲学与神学。）那僧道：『此事说来好笑。（笑比哭好！）只因

西方灵河岸上三生石畔有绛珠草一株，那时这个石头因娲皇未用，（即使是《红楼梦》，也仍然有中国士人『不为世用』的悲哀。）却也落得逍遥自在，各处去游玩，一日来到警幻仙子处，那仙子知他有些来历，因留他在赤霞宫居住，就名他为赤霞宫神瑛侍者。他却常在灵河岸上行走，看见这株仙草可爱，遂日以甘露灌溉，这绛珠草始得久延岁月。后来既受天地精华，复得甘露滋养，遂脱了草木之胎，得换人形，仅仅修成女体，终日游于『离恨天』外，饥餐『秘情果』，渴饮『灌愁水』。（美！爱美护美之心，怜香惜玉之心，神仙有之。）只因尚未酬报灌溉之德，故甚至五内郁结着一段缠绵不尽之意。（情结。）常说：『自己受了他雨露之惠，我并无此水可还。他若下世为人，我也同去走一遭，但把我一生所有的眼泪还他，也还得过了。』（悲！）因此一事，就勾出多少风流冤家都要下凡，造历幻缘，那绛珠仙草也在其中。今日这石复还原处，你我何不将他仍带到警幻仙子案前，给他挂了号，同这些情鬼下凡，一了此案。』（可见，为了『了』此案，要做许多『不了』『难了』之事。）那道人道：『果是好笑，从来不闻有『还泪』之说。趁此你我何不也下世度脱几个，岂不是一场功德？』那僧道：『正合吾意。你且同我到警幻仙子宫中，将这『蠢物』交割清楚，（忽成蠢物了！通了灵性才蠢了的。）待这一干风流孽鬼下世，你我再去。——如今有一半落尘，然犹未全集。』道人道：『既如此，便随你去来。』

却说甄士隐俱听得明白，遂不禁上前施礼，笑问道：『二位仙师请了。』那僧道也忙答礼相问。士隐因说道：『适闻仙师所谈因果，实人世罕闻者。但弟子愚拙，不能洞悉明白，若蒙大开痴顽，备细一闻，弟子洗耳谛听，稍能警省，亦可免沉沦之苦。』二仙笑道：『此乃玄机，不可预泄者。（『玄机』二字是语言文字的妙用，具有语言的衍生功能，

自慰功能、自欺功能乃至神学功能。）到那时只不要忘了我二人，便可跳出火坑矣。』士隐听了，不便再问，因笑道：『玄机固不可泄，但适云「蠢物」，不知为何?或可得见否?』那僧说：『若问此物，倒有一面之缘。』说着取出递与士隐。士隐接了看时，原来是块鲜明美玉，上面字迹分明，镌着『通灵宝玉』四字。后面还有几行小字，正欲细看时，那僧便说『已到幻境』，便强从手中夺了去，与道人竟过一大石牌坊，上面大书四字，乃是『太虚幻境』，（『太虚幻境』是一个涵盖性极强的概念。是梦中所见，抑或醒来后仍醒在幻境之中呢?）两边又有一副对联道：

假作真时真亦假，无为有处有还无。（假真之辨是文学的一大问题，也是人生、政治、学术、情爱、道德的一大问题。读懂此联，还那么执着地考证本事吗?）

真还是假?有还是无?中国式哈姆雷特问题：『to be or not to be?』真、假、有、无四字，够用一辈子几辈子的了。

士隐意欲也跟了过去，方举步时，忽听一声霹雳，若山崩地陷，士隐大叫一声，定睛看时，只见烈日炎炎，芭蕉冉冉，梦中之事，便忘了一半。又见奶母抱了英莲走来。士隐见女儿越发生得粉装玉琢，乖觉可喜，便伸手接来，抱在怀中，斗他玩耍一回，又带至街前看那过会的热闹。方欲进来时，只见从那边来了一僧一道，那僧癞头跣足，那道跛足蓬头，疯疯癫癫，挥霍谈笑而至。（梦中的僧道径入现实。现实与梦，同而不同，通而未通。）及到了他门前，看见士隐抱着英莲，那僧便大哭起来，又向士隐道：『施主，你把这有命无运、累及爹娘之物抱在怀内作甚?』士隐听了，知是疯话，也不睬他。那僧还说：『舍我罢，舍我罢!』士隐不耐烦，便抱女儿转身欲进去，那僧乃指着他大笑，口内念了四句言词，道是：

惯养娇生笑你痴，菱花空对雪澌澌；
好防佳节元宵后，便是烟消火灭时。（万事皆有定数，不解定数方有万事。）

士隐听得明白，心下犹豫，意欲问他来历，只听道人说道：『你我不必同行，就此分手，各干营生去罢，三劫后我在北邙山等你，会齐了，同往太虚幻境销号。』（挂号完了还得销号。挂号、销号，至今活着的语言。）那僧道：『最妙，最妙!』说毕，二人一去再不见个踪影了。士隐心中此时自忖：这两个人必有来历，（疯话乎?有来历乎?一念之间乎?宿命不可违背乎?）很该问他一问，如今后悔却已晚了。

甄士隐这个人物带有以意为之的『图解』色彩。为某种旨趣而造一个人物，难免。贾雨村作为对立面，是个俗而又俗的人，这个人物反而较生动，能写得下去。俗是有一定的生命力的。一味俗下去就恶心了。

这士隐正痴想，忽见隔壁葫芦庙内寄居的一个穷儒——姓贾名化、表字时飞、别号雨村的走了来。这贾雨村原系湖州人氏，也是诗书仕宦之族，因他生于末世，父母祖宗根基已尽，人口衰丧，只剩得他一身一口，在家乡无益，因进京求取功名，再整基业。自前岁来此，又淹蹇住了，暂寄庙中安身，每日卖文作字为生，（也算专业作家。）故士隐常与他交接。当下雨村见了士隐，忙施礼陪笑道：『老先生倚门伫望，敢街市上有甚新闻么?』士隐笑道：『非也，适因小女啼哭，引他出来作耍。正是无聊的很，贾兄来得正好，请入小斋，彼此俱可消此永昼。』（永昼?时间是个累赘?）说着，便令人送女儿进去，自携了雨村，来至书房中，小童献茶。方谈得三五句话，忽家人飞报：『严老爷来拜。』士隐慌的忙起身谢罪道：『恕诓驾之罪，略坐，弟即来奉陪。』雨村起身亦让道：『老先生请便。晚生乃常造之客，稍候何妨。』（此时的雨村是低声下气的。）说着士隐已出前厅去了。这里雨村且翻弄诗籍解闷，忽听得窗外有女子嗽声，雨村遂起身往外一看，原来是一个丫鬟在那里掐花，生得仪容不俗，眉目清秀，虽无十分姿色，却也有动人之处，雨村不觉看得呆了。（是丫鬟就有动人之处。）那甄家丫鬟掐了花，方欲走时，猛抬头见窗内有人，敝巾旧服，虽是贫窘，然生得腰圆背厚，面阔口方，更兼剑眉星眼，直鼻方腮。（以鄙俗套套写鄙俗之人。俗与拔俗的巧妙运用与过渡，也是重要的小说做法。甚俗则滥。甚超拔则成了断线风筝。）这丫鬟忙转身回避，心下自想：『这人生的这样雄壮，却又这样褴褛，想他定是我家主人常说的什么贾雨村了，每有意帮助周济他，只是没甚机会。我家并无这样贫窘亲友，想一定就是此人了，怪道又说他必非久困之人。』如此想，不免又回头一两次。雨村见他回了头，便以为这女子心中有意于他，便狂喜不禁，自谓此女子必是个巨眼英豪，风尘中之知己。一时小童进来，雨村打听得前面留饭，不可久待，遂从夹道中自便门出去了。（从夹道中出去，不再相邀，春秋笔法也够损的。）士隐待客既散，知雨村已去，便也不去再邀。

一日到了中秋佳节，士隐家宴已毕，又另具一席于书房，自己步月至庙中来邀雨村。原来雨村自那日见了甄家之婢曾回顾他两次，自谓是个知己，便时刻放在心上，（连甄家一个丫头都能使雨村如此放在心上。这也叫乘虚而入。这也反映了人的价值『剪刀差』。）今又正值中秋，不免对月有怀，因而口占五言一律云：

未卜三生愿，频添一段愁；
闷来时敛额，行去几回头。
自顾风前影，谁堪月下俦？
蟾光如有意，先上玉人楼。

雨村吟罢，因又思及平生抱负，苦未逢时，乃又搔首对天长叹，复高吟一联云：

玉在椟中求善价，钗于奁内待时飞。（俗人吟咏，必有俗味，俗味经过诗的美化，又漂亮了些，易接受一些了。）

恰值士隐走来听见，笑道：『雨村兄真抱负不凡也！』雨村忙笑道：『不敢，不过偶吟前人之句，何期过誉如此。』因问：『老先生何兴至此？』士隐笑道：『今夜中秋，俗谓「团圆之节」，想尊兄旅寄僧房，不无寂寥之感，故特具小酌，邀兄到敝斋一饮，不知可纳芹意否？』雨村听了，并不推辞，便笑道：『既蒙谬爱，何敢拂此盛情。』说着，便同了士隐复过这边书院中来。

须臾茶毕，早已设下杯盘，那美酒佳肴，自不必说。二人归坐，先是款斟慢饮，渐次谈至兴浓，不觉飞觥献斝起来。当时街坊上家家箫管，户户笙歌，当头一轮明月，飞彩凝辉，二人愈添豪兴，酒到杯干。雨村此时已有七八分酒意，狂兴不禁，乃对月寓怀，口占一绝云：

时逢三五便团圆，满把清光护玉栏；
天上一轮才捧出，人间万姓仰头看。（越俗，越向往出人头地。）

士隐听了大叫：『妙极！弟每谓兄必非久居人下者，今所吟之句，飞腾之兆已见，不日可接履于云霄之上了。可贺，可贺！』乃亲斟一斗为贺。雨村饮干，忽叹道：『非晚生酒后狂言，若论时尚之学，晚生也或可去充数挂名，只是如今行囊路费，一概无措，神京路远，非赖卖字撰文即能到得。』（所有——包括今日的贾雨村之流的基本牢骚：有『时尚』之学，无行囊路费。）士隐不待说完，便道：『兄何不早言，弟已久有此意，但每遇兄时，并未谈及，故未敢唐突。今既如此，弟虽不才，义利二字，却还识得。且喜明岁正当大比，兄宜作速入都，春闱一捷，方不负兄之所学。其盘费余事，弟自代为处置，亦不枉兄之谬识矣。』当下即命小童进去速封五十两白银并两套冬衣，又云：『十九日乃黄道之期，兄可即买舟西上，待雄飞高举，明冬再晤，岂非大快之事。』雨村收了银衣，不过略谢一语，并不介意，仍是吃酒谈笑。（既有时尚之学，他人便该当助我，何介意之有？贾雨村倒是一面镜子。）那天已交三鼓，二人方散。

士隐送雨村去后，回房一觉，直至红日三竿方醒，因思昨夜之事，意欲写荐书两封与雨村带至都中去，使雨村投谒个仕宦之家为寄身之地，因使人过去请时，那家人回来说：『和尚说：「贾爷今日五鼓已进京去了，也曾留下话与和尚转达老爷，说：『读书人不在「黄道」「黑道」，总以事理为要，不及面辞了。』」』（好急！）士隐听了，也只得罢了。

真是闲处光阴易过，倏忽又是元宵佳节。士隐令家人霍启抱了英莲去看社火花灯，半夜中，霍启因要小解，便将英莲放在一家门槛上坐着，待他小解完了来抱时，那有英莲的踪影？急得霍启直寻了半夜，至天明不见，那霍启也不敢回来见主人，便逃往他乡去了。（宿命没有逻辑。）

那士隐夫妇见女儿一夜不归，便知有些不好，再使几人去找寻，回来皆云影响全无。夫妻二人半世只生此女，一旦失去，何等烦恼，因此昼夜啼哭，几乎不顾性命。看看一月，士隐已先得病，夫人封氏也因思女构疾，日日请医问卦。（士隐夫妇及女儿英莲遭际的描写并非上乘，为什么要摆在这样重要的位置写，尚需体察。）

不想这日三月十五，葫芦庙中炸供，那和尚不小心，油锅火逸，便烧着窗纸，此方人家俱用竹篱木壁，也是劫数应当如此，于是接二连三，牵五挂四，将一条街烧得如『火焰山』一般。彼时虽有军民来救，那火已成了势了，如何救得下，直烧了一夜方息，也不知烧了多少人家。只可怜甄家在隔壁，早成了一堆瓦砾场了，只有他夫妇并几个家人的性命不曾伤了，急得士隐惟跌足长叹而已。与妻子商议且到田庄上去住，偏值近年水旱不收，贼盗蜂起，官兵剿捕，田庄上又难以安身，只得将田地都折变了，携了妻子与两个丫鬟，投他岳丈家去。（命不好，又加上了不太平，社会因素。）

他岳丈名唤封肃，本贯大如州人氏，虽是务农，家中却还殷实，今见女婿这等狼狈而来，心中便有些不乐，幸而士隐还有折变田产的银子在身边，拿出来托他随便置买些房地，以为后日衣食之计；那封肃便半用半赚的，略与他些薄田破屋。士隐乃读书之人，不惯生理稼穑等事，勉强支持了一二年，越发穷了。封肃见面时，便说些现成话，（『现成话』是什么意思？现成话是一些小人的话么？犹今之言『便宜话』吗？现成话也罢，便宜话也罢，有点人性恶的意味。）且人前人后，又怨他不善过活，只一味好吃懒做。士隐知投人不著，心中未免悔恨，再兼上年惊唬，急忿怨痛已伤，暮年之人，贫病交攻，竟渐渐的露出那下世的光景来。可巧这日拄了拐扎挣到街前散散心时，忽见那边来了一个跛足道人，疯狂落拓，麻鞋鹑衣，口内念着几句言词道：

世人都晓神仙好，惟有功名忘不了！

古今将相在何方？荒冢一堆草没了。
世人都晓神仙好，只有金银忘不了！
终朝只恨聚无多，及到多时眼闭了。
世人都晓神仙好，只有姣妻忘不了！
君生日日说恩情，君死又随人去了。
世人都晓神仙好，只有儿孙忘不了！
痴心父母古来多，孝顺子孙谁见了？（以虚无扼制与医治人欲的膨胀，久矣，难矣！好后有了，不等于好即是了，反过来说，了后又会好。所以，好难『了』。）

士隐听了，便迎上来道：『你满口说些甚么？只听见些「好了」「好了」。』那道人笑道：『你若果听见「好了」二字，还算你明白。可知世上万般，好便是了，了便是好。若不了，便不好；若要好，须是了。我这歌儿便名《好了歌》。』士隐本是有夙慧的，一闻此言，心中早已彻悟，（没有此等便利。）因笑道：『且住！待我将你这《好了歌》注解出来何如？』道人笑道：『你就请解。』士隐乃说道：

陋室空堂，当年笏满床。衰草枯杨，曾为歌舞场。蛛丝儿结满雕梁，绿纱今又在蓬窗上。说甚么脂正浓、粉正香，如何两鬓又成霜？昨日黄土陇头埋白骨，今宵红绡帐底卧鸳鸯。金满箱，银满箱，转眼乞丐人皆谤。正叹他人命不长，那知自己归来丧？训有方，保不定日后作强梁。择膏粱，谁承望流落在烟花巷！因嫌纱帽小，致使锁枷扛。昨怜破袄寒，今嫌紫蟒长。乱哄哄你方唱罢我登场，反认他乡是故乡。甚荒唐，（荒唐在于主观意愿与客观效果脱节。）到头来都是为他人作嫁衣裳。

必将『了』，取代不了曾经的『好』，现在的『好』，渴望的『好』。好是了不了的。再唱一万年《好了歌》，仍是收效甚微。知道『了』的趋势，或可有助于一定程度的清醒。也就是可观的悟性了。士隐的注解并无太大的价值，因为迹近诡辩。反过来辩亦可成立，笏满床可以变成陋室空堂，陋室空堂也可以变成笏满床。生生灭灭，向自己的对立物转化，本是常理。转化并不是单向的。结尾处略见精彩：『你方唱罢……』云云令人嗟叹。『为他人作嫁』的话亦有一定深度，反映了对意志论的一定的批判，反映了动机与效果的分离。

那疯跛道人听了，拍掌大笑道：『解得切！解得切！』士隐便说一声『走罢』，将道人肩上的搭裢抢过来背上，竟不回家，同了疯道人飘飘而去。（这就是小说了。简单化也是小说家的武器。以意为之也是小说家的手段。）

当下哄动街坊，众人当作一件新闻传说。封氏闻知此信，哭个死去活来，只得与父亲商议，遣人各处访寻。那讨音信？无奈何，只得依靠着他父母度日；幸而身边还有两个旧日的丫鬟伏侍，主仆三人，日夜作些针线，帮着父亲用度。那封肃虽然每日抱怨，也无可奈何了。（对亲闺女，总要好一点吧。）

这日那甄家的大丫鬟在门前买线，忽听得街上喝道之声，众人都说：『新太爷到任了。』（你方唱罢我登场的体现。）丫鬟隐在门内看时，只见军牢快手，一对一对过去，俄而大轿内抬着一个乌帽猩袍的官府过去。丫鬟倒发个怔，自思：『这官好面善，倒像在那里见过的。』于是进入房中，也就丢过，不在心上。至晚间正待歇息之时，忽听一片声打的门响，许多人乱嚷，说：『本县太爷的差人来传人问话。』封肃听了，唬得目瞪口呆。不知有何祸事，且听下回分解。（一直写到此处，《红楼梦》尚未摆脱劝世与浮沉小说的窠臼。）

从甄与贾、真与假处落笔，似乎是整个《红楼梦》故事的微缩沙盘，大故事，小序曲，都表现了好就是了的主题。但笔墨仍嫌拘谨，没有脱离开话本、说话人的语言套路。

第二回　贾夫人仙逝扬州城　冷子兴演说荣国府

却说封肃听见公差传唤，忙出来陪笑启问，那些人只嚷：『快请出甄爷来！』封肃忙陪笑道：『小人姓封，并不姓甄，只有当日小婿姓甄，今已出家一二年了，不知可是问他？』那些公人道：『我们也不知什么「真」「假」，既是你的女婿，便带了你去面禀太爷便了。』（不厌其烦地真真假假。真假游戏是概念游戏还是人生游戏？亦即，真假游戏本身是真的还是假的呢？）大家把封肃推拥而去，封家各各惊慌，不知何事。（官一找，多半没好事，便惊慌。）

至二更时分，封肃方回来，众人忙问端的。『原来新任太爷姓贾名化，本湖州人氏，曾与女婿旧交，因在我家门首看见娇杏丫头买线，只说女婿移住此间，所以来传。我将缘故回明，那太爷感伤叹息了一回，又问外孙女儿，我说看灯丢了。太爷说：「不妨，待我差人去，务必找寻回来。」（刚当官就出口不俗了。）说了一回话，临走又送我二两（二两！）银子。』甄家娘子听了，不觉感伤。一夜无话。（怎么也是「一夜无话」？）

次日早有雨村遣人送了两封银子、四匹锦缎，答谢甄家娘子；又一封密书与封肃，托他向甄家娘子要那娇

杏作二房。封肃喜得眉开眼笑，巴不得去奉承太爷，便在女儿前一力撺掇，当夜用一乘小轿便把娇杏送进衙内去了。（小轿，不是大轿。）雨村欢喜，自不必言，又封百金赠与封肃，又送甄家娘子许多礼物，令其且自过活，以待访寻女儿下落。

性情狡猾（不老实），擅改礼仪（弄权），外沽清正之名（有非分之思），暗结虎狼之势（这一条最重，拉帮结派，搞小舰队，朝廷决不能容），这几句话也是一面镜子。故事发展并未可得出以上结论，可见这四条是曹公早有的对一些狗官的看法。这种概括与其说是来自贾雨村，不如说来自对更多的官员的观察体会，来自官场生活。

却说娇杏那丫鬟，便是当年回顾雨村的，因偶然一看，便弄出这段奇缘，也是意想不到之事。（婚姻是宿命的，而且是『政治的』，回顾成了『感情投资』。但雨村能对娇杏产生印象，一定还有情与欲的原因。如果是位夜叉，回顾也只能吓退雨村的。）谁知他命运两济，不承望自到雨村身边，只一年，便生一子；又半载，雨村嫡配忽染疾下世，雨村便将他扶作正室夫人。正是：

偶因一回顾，便为人上人。

原来雨村因那年士隐赠银之后，他于十六日便起身赴京，大比之期，十分得意，中了进士，选入外班，今已升了本县太爷。虽才干优长，未免贪酷；且恃才侮上，那些官员皆侧目而视。不上一年，便被上司参了一本，说他性情狡猾，擅改礼仪，外沽清正之名，暗结虎狼之势，使地方多事，民命不堪等语。（无事才是做官的诀窍。早已伤了众了。）龙颜大怒，即批革职。部文一到，本府各官无不喜悦。那雨村虽十分惭恨，面上全无一点怨色，仍是嘻

笑自若，（起码的『修养』。为官而放纵情感，哭哭笑笑，比雨村亦低一等。）交代过公事，将历年所积宦囊，并家属人等，送至原籍安顿妥当，却自己担风袖月，游览天下胜迹。那日偶又游至维扬地方，闻得今年盐政点的是林如海。（『闻得』云云，是生拉硬扯上的。像电视节目主持人的那种拉扯法。既是长篇，难以一线到底，不管怎样拉扯，该出场的人物一定要出场，该退场的一定要退场，服从大局，不足诟病。）

这林如海姓林名海，表字如海，乃是前科的探花，今已升兰台寺大夫，本贯姑苏人氏，今钦点为巡盐御史，到任未久。原来这林如海之祖，曾袭过列侯，今到如海，业经五世。起初只袭三世，因当今隆恩盛德，额外加恩，至如海之父，又袭了一代；至如海，便从科第出身。虽系世禄之家，却是书香之族。只可惜这林家支庶不盛，人丁有限，虽有几门，却与如海俱是堂族，没甚亲支嫡派的。今如海年已五十，只有一个三岁之子，又于去岁亡了，虽有几房姬妾，奈命中无子，亦无可如何之事。（这是一种观念定势：人丁兴旺才好。林如海的事无关紧要，但是还是要说『圆』。未可太吝笔墨。）只嫡妻贾氏生得一女，乳名黛玉，年方五岁。夫妻爱之如掌上明珠，见他生得聪明俊秀，也欲使他识几个字，不过假充养子之意，聊解膝下荒凉之叹。（假充，聊解，适可而止。并非所有人物的出场都要戏剧化，匠心化。随随便便，已经几度炎凉。）

且说雨村在旅店偶感风寒，愈后又因盘费不继，正欲得一居停之所，以为息肩之地，偶遇两个旧友，认得新盐政，知他正要请一西席教训女儿，遂将雨村荐进衙门去。（弃政从教。无论如何，从贾雨村身上引出黛玉来，也算匪夷所思。）这女学生年纪幼小，身体又弱，工课不限多寡，其余不过两个伴读丫鬟，故雨村十分省力，正好养病。

看看又是一载有余，不料女学生之母贾氏夫人一病而亡，女学生奉侍汤药，守丧尽礼，过于哀痛，素本怯弱，因此旧症复发，有好些时不曾上学。雨村闲居无聊，每当风日晴和，饭后便出来闲步。这一日偶至郊外，意欲赏鉴那村野风光，信步至一山环水游、茂林修竹之处，隐隐有座庙宇，门巷倾颓，墙垣朽败，有额题曰『智通寺』，门旁又有一副旧破的对联云：

身后有余忘缩手，眼前无路想回头。（缩手、回头，忠言逆耳。）

雨村看了，因想道：『这两句文虽甚浅，其意则深，也曾游过些名山大刹，倒不曾见过这话头，其中想必有个翻过筋斗来的，（不翻筋斗，哪儿来的小说？）也未可知，何不进去一访。』走入看时，只有一个龙钟老僧在那里煮粥，（龙钟老僧宜煮粥，不能是煮鸡汤排骨汤燕窝汤莲子羹。）雨村见了，却不在意，及至问他两句话，那老僧既聋且昏，又齿落舌钝，所答非所问。（聋、昏、落、钝也是风景，并且增加了岁月沧桑之感。）

雨村不耐烦，仍退出来，意欲到那村肆中沽饮三杯，以助野趣，于是款步行来。（野乎文乎，咸有趣焉。）刚入肆门，只见座上吃酒之客，有一人起身大笑，接了出来，口内说：『奇遇，奇遇！』雨村忙看时，此人是都中古董行中贸易姓冷号子兴的，旧日在都相识。雨村最赞这冷子兴是个有作为大本领的人，这子兴又借雨村斯文之名，故二人最相投契。（作家与企业家的『联姻』古已有之，『红』已有之。）雨村忙亦笑问：『老兄何日到此？弟竟不知。今日偶遇，真奇缘也。』子兴道：『去年岁底到家，今因还要入都，从此顺路找个敝友说一句话，承他之情，留我多住两日，我也无甚紧事，且盘桓两日，待月半时，也就起身了。今日敝友有事，我因闲走至此，不期这样巧遇。』一面说，一面让雨村同席坐了，另整上酒肴来，二人闲谈慢饮，叙些别后之事。（雨村也还到处有酒喝。心里有底，不怕上一些闲闲散散乃至与前重复的场面。慢慢道来。远远扯来。如同用兵，先在外围移动，寻找战机。）

雨村因问：『近日都中可有新闻没有？』子兴道：『倒没有什么新闻，倒是老先生的贵同宗家出了一件小小的异事。』雨村笑道：『弟族中无人在都，何谈及此？』子兴笑道：『你们同姓，岂非一族？』雨村问是谁家。子兴笑道：『荣国贾府中，可也不玷辱了老先生的门楣。』雨村道：『原来是他家。若论起来，寒族人丁却不少，自东汉贾复以来，支派繁盛，各省皆有，谁能逐细考查。若论荣国一支，却是同谱，但他那等荣耀，我们不便去认他，故越发生疏了。』（以贾雨村的为人，不会因荣耀而自认「不便认」，只不过尚无机会罢了。）子兴叹道：『老先生休如此说。如今的这荣宁两府也都萧索了，不比先时的光景。』雨村道：『当日宁荣两宅，人口也极多，如何便萧索了？』子兴道：『正是，说来也话长。』（说来话长，一部「红楼」也没说明白。）雨村道：『去岁我到金陵，因欲游览六朝遗迹，那日进了石头城，从他老宅门前经过，街东是宁国府，街西是荣国府，二宅相连，竟将大半条街占了。大门外虽冷落无人，隔着围墙一望，里面厅殿楼阁，也还都峥嵘轩峻；就是后边一带花园里，树木山石，也都还有蓊蔚洇润之气，那里像个衰败之家？』（欲抑先扬。）子兴笑道：『亏你是进士出身，原来不通。古人有言：「百足之虫，死而不僵。」（死与不僵，本质与现象。）如今虽说不似先年那样兴盛，较之平常仕宦之家，到底气象不同。如今生齿日繁，事务日盛，主仆上下，安富尊荣尽多，运筹谋画者无一。其日用排场费用，又不能将就省俭，如今外面的架子虽未甚倒，内囊却也尽上来了。这也小事。更有一件大事：谁知这样钟鸣鼎食之家，翰墨诗书之族，如今的儿孙，竟一代不如一代了！』（管理危机。财政危机。人事危机。）雨村听说，也道：『这样诗礼之家，岂有不善教育之理？别门不知，只说这宁荣两宅，是最教子有方的。』（雨村非不世故，出此小儿之言，为了反衬子兴的论述，不得不听命于作家的调遣。另一种可能，贾雨村装糊涂，以使子兴言之得趣。即是「套」子兴的话。大凡阴谋家与谁说话都抱着「套」的动机也。）

子兴叹道：『正说的是这两门呢。待我告诉你：当日宁国公、荣国公是一母同胞弟兄两个。宁公居长，生了四个儿子；宁国公死后，长子贾代化袭了官，也养了两个儿子，长名敷，八九岁上死了，只剩了一个次子贾敬，袭了官，如今一味好道，只爱烧丹炼汞，余者一概不在他心上。（袭了官却一味好道，为什么？谁知道？人生，仕途这一套系统中，似已预设了自毁的程序。）幸而早年留下一子，名唤贾珍，因他父亲一心想作神仙，把官倒让他袭了。他父亲又不肯回原籍来，只在都中城外和那些道士们胡羼。这位珍爷也倒生了一个儿子，今年才十六岁，名叫贾蓉。如今敬老爷是一概不管，这珍爷那里肯读书，只一味高乐不了，把那宁国府竟翻了过来，（天翻地覆，不是慨而慷，而是烂而脏。）也没有敢来管他的人。再说荣府你听，方才所说异事就出在这里。自荣公死后，长子贾代善袭了官，娶的是金陵世家史侯的小姐为妻，生了两个儿子，长名贾赦，次名贾政。如今代善早已去世，太夫人尚在，长子贾赦袭了官，为人平静中和，（平静中和？为何对贾珍就揭露，对贾赦就隐讳呢？）也不管理家。次子贾政，自幼酷喜读书，为人端方正直，祖父钟爱，原要他以科甲出身的，不料代善临终时遗本一上，皇上因恤先臣，即时令长子袭官外，问还有几子，立刻引见，遂又额外赐了这政老爷一个主事之衔，令其入部习学，如今现已升了员外郎。这政老爷的夫人王氏，头胎生的公子名唤贾珠，十四岁进学，不到二十岁就娶了妻，生了子，一病就死了；第二胎生了一位小姐，生在大年初一，就奇了；不想次年又生了一位公子，说来更奇，一落胞胎，嘴里便衔下一块五彩晶莹的玉来，（衔玉而生，是一个关键情节，也是一个永远的谜。）还有许多字迹，你道是新闻异事不是？』

雨村笑道：『果然奇异。只怕这人的来历不小。』（奇，怪异与奇——畸零共存。反映了宿命论，也反映了视奇为灾的尚同精神。）子兴冷笑道：『万人皆如此说，因而乃祖母爱如珍宝。那周岁时，政老爷便要试他将来的志向，便将那世上所有之物，摆了无数与他抓取，谁知他一概不取，伸手只把些脂粉钗环抓来玩弄；那政老爷便不喜欢，说将来是酒色之徒耳，因此便不甚爱惜。独那太君还是命根子一般。说来又奇，如今长了七八岁，虽然淘气异常，但聪明乖觉，百个不及他一个，说起孩子话来也奇怪，他说：「女儿是水做的骨肉，男人是泥做的骨肉，我见了女儿便清爽，见了男子便觉浊臭逼人。」你道好笑不好笑？将来色鬼无疑了。』雨村岸然厉色忙止道：『非也。可惜你们不知道这人来历，大约政老前辈也错以淫魔色鬼看待了。若非多读书识事，加以致知格物之功，悟道参玄之力者，不能知也。』

曹雪芹写荣、宁二府，由远及近，由大及小，由鸟瞰至细描，渐渐靠拢。贾雨村与冷子兴的这次饮酒对谈，是为作家的交代轮廓服务的，两个人的话其实更多的是作家的话。拿人物当传声筒，本是现实主义所忌，但小说又毕竟是小说，小说听命于作者不是秘密。好在主要人物主要关节都是活生生的，令人信服的。二人谈话也大致符合客观逻辑。如果胶柱鼓瑟地作为对二人的性格描写来要求，就会失望了。

子兴见他说得这样重大，忙请教其故。雨村道：『天地生人，除大仁大恶，余者皆无大异。若大仁者则

应运而生，大恶者则应劫而生，运生世治，劫生世危。（雨村忽然又高明深刻起来了。宇宙学与人才学的综论。）尧、舜、禹、汤、文、武、周、召、孔、孟、董、韩、周、程、朱、张，皆应运而生者；蚩尤、共工、桀、纣、始皇、王莽、曹操、桓温、安禄山、秦桧等，皆应劫而生者。大仁者修治天下，大恶者扰乱天下。清明灵秀，天地之正气，仁者之所秉也；残忍乖僻，天地之邪气，恶者之所秉也。今当祚永运隆之日，太平无为之世，（太平无为！原来乱世才是有为之世。）清明灵秀之气所秉者，上至朝廷，下至草野，比比皆是。所余之秀气，漫无所归，遂为甘露，为和风，洽然溉及四海。（秀气过剩症。）彼残忍乖邪之气，不能荡溢于光天化日之下，遂凝结充塞于深沟大壑之中，偶因风荡，或被云摧，略有摇动感发之意，一丝半缕，误而逸出者，值灵秀之气适过，正不容邪，邪复妒正，两不相下，如风水雷电，地中既遇，既不能消，又不能让，必致搏击掀发后始尽。（主流社会的口号是宁多一点俗气浊气，不要太多秀气乖气。）故其气亦必赋人，发泄一尽始散，使男女偶秉此气而生者，上则不能为仁人为君子，下亦不能为大凶大恶。置之千万人之中，其聪俊灵秀之气，则在千万人之上；其乖僻邪谬不近人情之态，又在千万人之下。（也算二重组合。性格的张力。）若生于公侯富贵之家，则为情痴情种；若生于诗书清贫之族，则为逸士高人；纵偶生于薄祚寒门，亦断不至为走卒健仆，甘遭庸夫驱制驾驭，必为奇优名娼。如前之许由、陶潜、阮籍、嵇康、刘伶、王谢二族、顾虎头、陈后主、唐明皇、宋徽宗、刘庭芝、温飞卿、米南宫、石曼卿、柳耆卿、秦少游，近日倪云林、唐伯虎、祝枝山，再如李龟年、黄幡绰、敬新磨、卓文君、红拂、薛涛、崔莺、朝云之流：此皆易地则同之人也。』（大多是文人。雨村不像有此见识者，是作者假雨

村之口宣扬一通奇思妙论。）

子兴道：『依你说，「成则公侯败则贼」了？』雨村道：『正是这意。（正是何意？又流露出对『不遇』的牢骚来了。）你还不知，我自革职以来，这两年遍游各省，也曾遇见两个异样孩子，所以方才你一说这宝玉，我就猜着了八九也是这一派人物。不用远说，只这金陵城内，钦差金陵省体仁院总裁甄家，你可知道？』子兴道：『谁人不知！这甄府就是贾府老亲，他们两家来往极亲热的。至在下也和他家往来非止一日了。』（有甄士隐就有贾雨村。有贾宝玉就有甄宝玉。最重视最喜玩味的是宇宙万物的一种既是客观存在的又是主观臆想的对应关系。）

雨村笑道：『去岁我在金陵，也曾有人荐我到甄府处馆，我进去看其光景，谁知他家那等荣贵，却是个「富而好礼」之家，倒是个难得之馆。但是这个学生虽是启蒙，却比一个举业的还劳神。说起来还可笑，他说：「必得两个女儿伴着我读书，我方能认得字，心上也明白；不然，我心里自己糊涂。」又常对着跟他的小斯们说：「这『女儿』两个字极尊贵极清净的，比那瑞兽珍禽、奇花异草更觉希罕尊贵呢！你们这种浊口臭舌，万万不可唐突了这两个字，要紧，要紧。但凡要说的时节，必用净水香茶漱了口方可；设若失错，便要凿牙穿眼的。」其暴虐顽劣，种种异常。只放了学进去，见了那些女儿们，其温厚和平，聪敏文雅，竟变了一个样子。因此他令尊也曾下死笞楚过几次，竟不能改。每打的吃疼不过时，他便「姐姐」「妹妹」的乱叫起来。后来听得里面女儿们拿他取笑：「因何打急了只管叫姐妹作什么？莫不叫姐妹们去讨情讨饶？你岂不愧些！」他回答的最妙，他说：「急痛之时，只叫『姐姐』『妹妹』字样，或可解疼，也未可知，因叫了一声，果觉疼得好些，遂得了秘法，每疼痛之极，便连叫姐妹起来了。」你说可笑不可笑？（可笑可爱，有几分天真烂漫之真情矣。）为他祖母溺爱不明，每因孙辱师责子，我所以辞了馆出来的。这等子弟，必不能守祖父基业，从师友规劝的。只可惜他家几个好姊妹都是少有的。』

子兴道：（你一段我一段，商量好了给读者讲故事。）『便是贾府中现在三个也不错。政老爷之长女名元春，因贤孝才德，选入宫作女史去了。二小姐乃是赦老爷姨娘所出，名迎春；三小姐政老爷庶出，名探春；四小姐乃宁府珍爷之胞妹，名惜春。因史老夫人极爱孙女，都跟在祖母这边，一处读书，听得个个不错。』雨村道：『更妙在甄家风俗，女儿之名，亦皆从男子之名命取，不似别家，另外用这些「春」「红」「香」「玉」等艳字，何得贾府亦落此俗套？』子兴道：『不然。只因现今大小姐是正月初一所生，故名「元春」，余者方从了「春」字；上一排的却也是从弟兄而来的。（起名字也看出身份和习俗来。）现有对证：目今你贵东家林公之夫人，即荣府中赦政二公之胞妹，在家时名唤贾敏，不信时你回去细访可知。』雨村拍手笑道：『是极！我这女学生名叫黛玉，他读书凡「敏」字他皆念作「密」字，写字遇着「敏」字亦减一二笔，我心中每每疑惑，今听你说，是为此无疑矣。怪道我这女学生言语举止另是一样，不与凡女子相同，度其母不凡，故生此女，今知为荣府之外孙，又不足罕矣。可惜上月其母竟亡故了。』子兴叹道：『老姊妹三个，这是极小的，又没了。长一辈的姊妹，一个也没了。只看这小一辈的将来的东床何如呢。』（『东床』云云，提出得忒早！）

读《红楼梦》可采此法：读一段，回来对照温习一下第二回的概念，收概念与具体进展相得益彰之妙。

雨村道：『正是。方才说政公已有了一个衔玉之子，又有长子所遗弱孙，这赦老竟无一个不成？』子兴道：

『政公既有玉儿之后，其妾又生了一个，倒不知其好歹。只眼前现有二子一孙，却不知将来何如。若问那赦公，也有二子，次名贾琏，今已二十来往了，亲上做亲，娶的是政爷夫人王氏之内侄女，今已娶了二年。这位琏爷身上，现捐的是个同知，也是不喜读书的，于世路上好机变，言谈去得，所以目今现在乃叔政老爷家住，帮着料理家务。谁知自娶了令夫人之后，倒上下无一人不称颂他夫人的，琏爷倒退了一舍之地。模样又极标致，言谈又极爽利，心机又极深细，竟是一个男人万不及一的。』（中国人喜讲格局。贾冷二人一谈，大格局便描绘出来了。）

雨村听了笑道：『可知我言不谬。你我方才所说的这几个人，只怕都是那正邪两赋而来，一路之人，未可知也！』子兴道：『「正」也罢，「邪」也罢，只顾算别人家的账，你也吃一杯酒才好。』雨村道：『只顾说话，就多吃了几杯。』子兴笑道：『说着别人家的闲话，正好下酒，即多吃几杯何妨。』（说人闲话下酒，妙极，真实极了。读者，您有这种美习吗？这算不算是一种认识世界研究问题的类似于为学问而学问的兴趣呢？反正看不出他们的交谈有多少功利目的。当然，了解大人物，对于较小人物永远是有用、很有用的。如果，大人物也能兴味盎然，孜孜不倦地研究小人物，就好了。）雨村向窗外看道：『天也晚了，仔细关了城，我们慢慢进城再谈，未为不可。』于是二人起身，算还酒钱。方欲走时，忽听得后面有人叫道：『雨村兄恭喜了！特来报个喜信的。』雨村忙回头看时，要知是谁，且听下回分解。（在写到贾府以前，先远远地说一说，有提纲挈领之功，有来自《周易》的方法论，免得你陷入此后的生活细节的大海。）

第三回 托内兄如海荐西宾 接外孙贾母惜孤女

却说雨村忙回头看时，不是别人，乃是当日同僚一案参革的张如圭。他系此地人，革后家居，今打听得都中奏准起复旧员之信，他便四下里寻情找门路，忽遇见雨村，故忙道喜。（说上就上，说下就下，不必细问，这也叫能上能下。）二人见了礼，张如圭便将此信告知雨村，雨村欢喜，忙忙叙了两句，各自别去回家。冷子兴听得此言，便忙献计，令雨村央求林如海，转向都中去央烦贾政。

雨村领其意而别。回至馆中，忙寻邸报看真确了。次日，面谋之如海。如海道：『天缘凑巧，（又是巧了。）因贱荆去世，都中家岳母念及小女无人依傍，前已遣了男女船只来接，因小女未曾大痊，故尚未行，此刻正思送女进京。因向蒙教训之恩，未经酬报，遇此机会，岂有不尽心图报之理。弟已预筹之，修下荐书一封，托内兄务为周全，方可稍尽弟之鄙诚；即有所费，弟于内兄信中注明，不劳吾兄多虑。』雨村一面打恭，谢不释口，一面又问：『不知令亲大人现居何职？只怕晚生草率，不敢进谒。』如海笑道：『若论舍亲，与尊兄犹系一家，乃荣公之孙：大内兄现袭一等将军之职，名赦，字恩侯；二内兄名政，字存周，现任工部员外郎，其为人谦恭厚道，大有祖父遗风，非膏粱轻薄之流。（再说贾政的好处。）故弟致书烦托。否则不但有污尊兄清操，即弟亦不屑为矣。』雨村听了，心下方信了昨日子兴之言，于是又谢了林如海。（前后不断照应，也是长篇小说的一个必要的麻烦。）如海又说：『择了出月初二日小女入都，吾兄即同路而往，岂不两便？』雨村唯唯听命，心中十分得意。（得什么意，将复出还是高攀？任何得意自旁观之都带有喜剧性。）如海遂打点礼物并饯行之事，雨村一一领了。

那女学生原不忍弃父而去，无奈他外祖母必欲其往，且兼如海说：『汝父年已半百，再无续室之意，且汝多病，年又极小，上无亲母教养，下无姊妹扶持，今去依傍外祖母及舅氏姊妹，正好减我内顾之忧，如何不去？』黛玉听了，方洒泪拜别，随了奶娘及荣府中几个老妇登舟而去。雨村另有一只船，带两个小童，依附黛玉而行。（尊卑与长幼不一致。长幼关系服从于尊卑关系。）

一日到了京都，雨村先整了衣冠，带了小童，拿了『宗侄』的名帖，至荣府门上投了。彼时贾政已看了妹丈之书，即忙请入相会，见雨村像貌魁伟，言谈不俗，且这贾政最喜的是读书人，礼贤下士，拯溺救危，大有祖风；（先通过子兴，二通过如海，三作者干脆跳出来说贾政的好话了。是礼貌，又不仅是礼貌。如果贾政是个坏蛋，悲剧性与认识价值反而贬损了。）况又系妹丈致意，因此优待雨村，更又不同，便极力帮助，题奏之日，谋了一个复职，不上二月，便选了金陵应天府，辞了贾政，择日到任去了，不在话下。

且说黛玉自那日弃舟登岸时，便有荣府打发轿子并拉行李车辆伺候。这黛玉尝听得母亲说，他外祖母家与别家不同，他近日所见的这几个三等的仆妇，吃穿用度，已是不凡，（先是听得，再开始见的。）何况今至其家，多要步步留心，时时在意，不要多说一句话，不可多行一步路，恐被人耻笑了去。（黛玉并非不谙人情事理，而且自律不谓不严。不仅听见，而且留『心』，在『意』。）自上了轿，进了城，从纱窗中瞧了一瞧，其街市之繁华，人烟之阜盛，自与别处不同。又行了半日，忽见街北蹲着两个大石狮子，三间兽头大门，门前列坐着十来个华冠丽服之人。正门不开，只东西两角门有人出入，正门之上有一匾，匾上大书『敕造宁国府』五个大字。黛玉想道：『这是外祖的长房了。』又往西不远，照样也是三间大门，方是『荣国府』，却不进正门，只由（又见）西角门而进。（西角门进都是这等景象，走正门该是何等隆重！）轿子抬着走了一箭之远，将转弯时，便歇了轿，后面的婆子也都下来了，另换了四个衣帽周全的十七八岁的小厮上来抬着轿子，众婆子步下跟随，至一垂花门前落下，众小厮又退了出去，众婆子上前打起轿帘，扶黛玉下了轿。（派！更派！礼数愈多愈威风！种种气派，唬了林黛玉，也唬了读者。曹公似说：『想当年……阔多啦！』）

林黛玉扶着婆子手进了垂花门，两边是超手游廊，正中是穿堂，当地放着一个紫檀架子大理石屏风。转过屏风，小小三间厅房，厅后便是正房大院。正面五间上房，皆是雕梁画栋，两边穿山游廊厢房，挂着各色鹦鹉画眉等雀鸟。台阶上坐着几个穿红着绿的丫头，一见他们来了，都笑迎上来，说道：『刚才老太太还念呢，可巧就来了。』于是三四人争着打帘子，一面听得人说：『林姑娘来了！』（也是手续。手续引起敬畏，只是影响效率。）

黛玉方进房，只见两个人扶着一位鬓发如银的老母迎上来，黛玉知是外祖母了，正欲下拜，早被外祖母抱住，搂入怀中，『心肝儿肉』叫着大哭起来。当下侍立之人，无不下泪，黛玉也哭个不休。（亲人久别，见面先哭，这种风俗在一些边远地区至今存在。还是哭出点感情、人情味来的。）众人慢慢解劝住了，黛玉方拜见了外祖母。当下贾母一一指与黛玉：『这是你大舅母，这是二舅母，这是你先珠大哥的媳妇珠大嫂。』黛玉一一拜见了。贾母又叫：『请姑娘们来。今日远客初来，可以不必上学去。』（学习的事也是家长说了算。教育未与家政分离。）众人答应了一声，便去了两个。

不一时，只见三个奶妈并五六个丫鬟拥着三位姑娘来了：第一个肌肤微丰，身材合中，腮凝新荔，鼻腻鹅脂，温柔沉默，观之可亲；第二个削肩细腰，长挑身材，鸭蛋脸儿，俊眼修眉，顾盼神飞，文彩精华，见之忘俗；（四字一句的肖像描写，好处是简练，坏处是近似套话，过熟。）第三个身量未足，形容尚小。其钗环裙袄，三人皆是一样的妆束。

黛玉忙起身迎上来见礼，互相厮认，归了坐位，丫鬟送上茶来。不过叙些黛玉之母，如何得病，如何请医服药，如何送死发丧。（不过叙些什么，通过对比为后面的熙凤、宝玉出场作准备，突出熙凤与宝玉。）不免贾母又伤感起来，因说：『我这些女孩儿，所疼者独有你母，今一旦先我而逝，不得见一面，教我怎不伤心！』说着携了黛玉的手又哭起来，众人忙相劝慰，方略略止住。

众人见黛玉年貌虽小，其举止言谈不俗，身体面庞虽弱不胜衣，却有一段风流态度，便知他有不足之症，因问：『常服何药？如何不治好了？』黛玉道：『我自来如此，从会吃饭时便吃药，到如今了，经过多少名医，总未见效。那一年我才三岁，记得来了一个癞头和尚，（都生活在和尚——无——太虚的阴影下。这一点与英莲一样，和尚说什么就一定反而更什么。不是和尚而是人生——生活的逻辑，哪壶不开提哪壶。）说要化我去出家，我父母固是不从。他又说：「既舍不得他，但只怕他的病一生也不能好的。若要好时，除非从此以后总不许见哭声，除父母之外，凡有外亲一概不见，方可平安了此一生。」这和尚疯疯癫癫说了这些不经之谈，也没人理他。如今还是吃人参养荣丸。』贾母道：『这正好，我这里正配丸药呢，叫他们多配一料就是了。』（正配丸药？医院也没有与家庭分离。封建家庭，无所不包。）

一语未休，只听后院中有笑语声，说：『我来迟了，不曾迎接远客！』（每个人都知道自己的角色，该怎么演就怎么演。特殊情况下也有反串的情形。）黛玉思忖道：『这些人个个皆敛声屏气如此，这来者是谁，这样放诞无礼？』心下想时，只见一群媳妇丫鬟拥着一个丽人，从后房进来。这个人打扮与姑娘们不同，彩绣辉煌，恍若神妃仙子：头上戴着金丝八宝攒珠髻，绾着朝阳五凤挂珠钗，项上戴着赤金盘螭璎珞圈，身上穿着缕金百蝶穿花大红云缎窄裉袄，外罩五彩刻丝石青银鼠褂，下着翡翠撒花洋绉裙；（这些描写给人以炫耀、吹嘘的感觉。『吹』好易，『了』好难！越高贵穿得越啰嗦，这也是时装史的规律。）一双丹凤三角眼，两弯柳叶掉梢眉，身量苗条，体格风骚，（『体格风骚』是什么意思？有无类似『性感』的含义？）粉面含春威不露，丹唇未启笑先闻。

黛玉连忙起身接见，贾母笑道：『你不认得他，他是我们这里有名的一个泼辣货，南京所谓「辣子」，你只叫他「凤辣子」就是了。』（被嘲弄，也是得宠的标志。）黛玉正不知以何称呼，众姊妹都忙告诉黛玉道：『这是琏嫂子。』黛玉虽不曾识面，听见他母亲说过，大舅贾赦之子贾琏，娶的就是二舅母王氏之内侄女，自幼假充男儿教养的，学名叫做王熙凤。黛玉忙陪笑见礼，以『嫂』呼之。（忙陪笑，不敢造次，不敢使性。黛玉绝非造反有理的信徒。）这熙凤携着黛玉的手，上下细细打量了一回，便仍送至贾母身边坐下，因笑道：『天下真有这样标致人物，我今日才算见了！况且这通身的气派，竟不像老祖宗的外孙女儿，竟是个嫡亲的孙女，怨不得老祖宗天天口头心头一刻不忘。（现在就不会把嫡亲看得那样高于外孙女了。）只可怜我这妹妹这样命苦，怎么姑妈偏就去世了！』说着便用帕拭泪，贾母笑道：『我才好了，你倒来招我。你妹妹远路才来，身子又弱，也才劝住了，快休再题前话。』这熙凤听了，忙转悲为喜道：（着一『忙』字而出性情。转悲为喜也要忙着转。）『正是呢！我一见了妹妹，一心都在他身上，又是喜欢，又是伤心，竟忘记了老祖宗，该打，该打！』又忙携黛玉之手问：『妹妹几岁了？可也上过学？现吃什么药？在这里不要想家，要什么吃的、什么玩的，只管告诉我；丫头老婆们不好，也只管告诉我。』一面又问婆子们：『林姑娘的行李东西可搬进来了？带了几个人来？你们赶早打扫两间下房让他们去歇歇。』（自然该打，亦是求宠术。不等回答，先提一串问题：一、急脾气。二、是关心的表示也是走过场。三、在『老祖宗』面前可以连珠炮般地说话提问，也是份儿、格儿。四、通过关心人显示自己的全面性、细致性、责任性。）

说话时，已摆了茶果上来，熙凤亲为捧茶捧果。又见二舅母问他：『月钱放完了不曾？』熙凤道：『月钱也放完了。刚才带了人到后楼上找缎子，找了半日，也没见昨日太太说的那样，想是太太记错了。』（见黛玉本属礼仪活动，仍不停止理家政。端是大忙人也。）王夫人道：『有没有，什么要紧。』（对物质财富不以为意，远不像此后对绣春囊那样看重。国人向来是轻物质而重伦理道德名节——精神文明的。王夫人放手，熙凤精明。）因又说道：『该随手拿出两个来给你这妹妹裁衣裳的，等晚上想着再叫人去拿罢。』熙凤道：『倒是我先料着了，知道妹妹这两日到的，我已预备下了；等太太回去过了目，好送来。』王夫人一笑，点头不语。

当下茶果已撤，贾母命两个老嬷嬷带了黛玉去见两个舅舅去。维时贾赦之妻邢氏忙起身笑回道：『我带了外甥女过去，到底便宜些。』贾母笑道：『正是呢，你也去罢，不必过来了。』那邢夫人答应了，遂带了黛玉与王夫人作辞，大家送至穿堂。垂花门前早有众小厮拉过一辆翠幄清油车来，（拉屎放屁都要派车。）邢夫人携了黛玉坐上，

众婆娘们放下车帘，方命小厮们抬起，拉至宽处，方驾上驯骡，亦出了西角门往东，过荣府正门，入一黑油大门内，至仪门前，方下车来。邢夫人挽了黛玉的手进入院中，黛玉度其处必是荣府中之花园隔断过来的。进入三层仪门，果见正房、厢庑、游廊，悉皆小巧别致，不似那边的轩峻壮丽；且院中随处之树木山石皆好。及进入正室，早有许多盛妆丽服之姬妾丫鬟迎着。（房偏小巧，妾有许多。靠边住乎，寡人有疾乎？）邢夫人让黛玉坐了，一面令人到外书房中请贾赦。一时来回说：『老爷说了：「连日身上不好，见了姑娘彼此伤心，暂且不忍相见。（贾赦不见，另一种行事方式，另一种风格，略显别扭，含义不明，亦留印象。）劝姑娘不要伤怀想家，跟着老太太和舅母，是同家里一样。姊妹们虽拙，大家一处伴着，亦可以解些烦闷。或有委屈之处，只管说得，不要外道才是。」』黛玉忙站起身来一一听了。再坐一刻，便告辞，邢夫人苦留吃过饭去，黛玉笑回道：『舅母爱惜赐饭，原不应辞，只是还要过去拜见二舅舅，恐迟去不恭，异日再领，望舅母容谅。』（都讲礼貌。黛玉亦会精准地说套话。）邢夫人道：『这也罢了。』遂命两个嬷嬷用方才坐来的车子送过去。于是黛玉告辞。邢夫人送至仪门前，又嘱咐了众人几句，眼看着车去了方回来。

一时黛玉进入荣府，下了车，众嬷嬷引着便往东转弯，走过一座东西的穿堂，向南大厅之后，仪门内大院落，上面五间大正房，两边厢房鹿顶耳门钻山，四通八达，轩昂壮丽，（比乃兄住得好。）比贾母处不同，黛玉便知这方是正内室。一条大甬路，直接出大门的。进入堂屋，抬头迎面先见一个赤金九龙青地大匾，匾上写着斗大三个字，是：『荣禧堂』；后有一行小字：『某年月日书赐荣国公贾源』，又有『万几宸翰』之宝。大紫檀雕螭案上设着三尺

来高青绿古铜鼎，悬着待漏随朝墨龙大画，一边是錾金彝，一边是玻璃𥫗，地下两溜十六张楠木椅子，（靠房屋建筑摆设与礼仪显示人的价值，这也是『异化』。）又有一副对联，乃是乌木联牌，镶着錾银字迹，道是：

座上珠玑昭日月，堂前黼黻焕烟霞。（靠文句吹嘘拔份儿，未免可怜。）

下面一行小字，道是：『乡世教弟勋袭东安郡王穆莳拜手书。』（结交权贵自是本钱。）

原来王夫人时常居坐宴息亦不在这正室，只在东边的三间耳房内。于是老嬷嬷引黛玉进东房门来，临窗大炕上铺着猩红洋毯，正面设着大红金钱蟒引枕，秋香色金钱蟒大条褥，两边设一对梅花式洋漆小几，左边几上文王鼎，匙箸香盒，右边几上汝窑美人觚，内插着时鲜花卉，并茗碗茶具等物。地下面西一溜四张椅上，都搭着银红撒花椅搭，底下四副脚踏；两边又有一对高几，几上茗碗瓶花俱备。其余陈设，不必细说。老嬷嬷让黛玉上炕坐，炕沿上却也有两个锦褥对设，黛玉度其位次，便不上炕，只就东边椅上坐了。（座位是不可掉以轻心的。黛玉注意克己复礼。）本房的丫鬟忙捧上茶来，黛玉一面吃了，打量这些丫鬟们妆饰衣裙，举止行动，果与别家不同。

茶未吃了，只见一个穿红绫袄青缎掐牙背心的一个丫鬟走来笑道：『太太说，请林姑娘到那边坐罢。』老嬷嬷听了，于是又引黛玉出来，到了东廊三间小正房内。正面炕上横设一张炕桌，上面堆着书籍茶具，靠东壁面西设着半旧的青缎靠背引枕。王夫人却坐在西边下首，亦是半旧青缎靠背坐褥；见黛玉来了，便往东让。黛玉心中料定这是贾政之位，因见挨炕一溜三张椅子上也搭着半旧的弹花椅袱，黛玉便向椅上坐了。王夫人再三让他上坑，他方挨王夫人坐了。（决不僭越。决非叛逆。）王夫人乃说：『你舅舅今日斋戒去了，再见罢。（也不见。是不是男性长辈对于女性晚辈不宜过热呢？）只是有一句话嘱咐你：三个姊妹倒都极好，以后一处念书认字，学针线，或偶一玩笑，都有个尽让的。但我最不放心的却有一件：我有一个孽根祸胎，是家里的「混世魔王」，今日因庙里还愿去，尚未回来，晚间你看见便知道了。你以后只不要采他，你这些姊妹都不敢沾惹他的。』（先打预防针，可惜没作用。生活特别是情感预防，远不如天花、霍乱预防之有效。）

黛玉素闻母亲说过，有个内侄乃衔玉而生，顽劣异常，不喜读书，最喜在内帏厮混；外祖母又溺爱，无人敢管。（写到哪儿就有哪儿。盖作家不可能事先都计划绵密也。这也是突破时空的叙述。『红』已有之。《红楼梦》中的重要人物都有许多预先介绍。）今见王夫人所说，便知是这位表兄。因陪笑道：『舅母所说的，可是衔玉而生的这位表兄？在家时记得母亲常说，这位哥哥比我大一岁，小名就叫宝玉，性虽憨顽，说待姊妹们极好的。况我来了，自然和姊妹同一处，兄弟们自另院别室的，岂有得沾惹之理？』王夫人笑道：『你不知道原故：他与别人不同，自幼因老太太疼爱，原系同姊妹们一处娇养惯的。若姊妹们不理他，他倒还安静些；若一日姊妹们和他多说了一句话，他心上一喜，便生出许多事来。（一喜便生事。经验之谈，宜慎喜。）所以嘱咐你别采他。他嘴里一时甜言蜜语，一时有天无日，疯疯傻傻，只休信他。』

黛玉一一的都答应着。（『一一的都』，有几分可怜了。）忽见一个丫鬟来说：『老太太那里传晚饭了。』王夫人忙携了黛玉从后房门，由后廊往西，出了角门，是一条南北宽夹道，南边是倒座三间小小抱厦厅，北边立着一个粉油大影壁，后有一半大门，小小一所房室，（紧着这样写，有点啰嗦了。生活在大户人家何其烦琐也！）王夫人笑指向黛玉道：

『这是你凤姐姐的屋子，回来你好向这里找他去，少什么东西只管和他说就是了。』这院门上也有几个才总角的小厮，都垂手侍立。（贾赦那里写『姬妾丫鬟』，凤姐这里写『小厮』，有什么弗洛伊德吗？）王夫人遂携黛玉穿过一个东西穿堂，便是贾母的后院了，于是进入后房门，已有多人在此伺候，见王夫人来了，方安设桌椅。贾珠之妻李氏捧饭，熙凤安箸，王夫人进羹。贾母正面榻上独坐，两旁四张空椅，熙凤忙拉黛玉在左边第一张椅子上坐下，黛玉十分推让，（四次让坐。）贾母笑道：『你舅母和嫂子们左右不在这里吃饭。你是客，原该如此坐的。』黛玉方告了坐，就坐了。贾母命王夫人也坐了。迎春姊妹三个告了坐方上来，迎春坐右手第一，探春左第二，惜春右第二。（座位学的实质是座次学即名单学。）旁边丫鬟执着拂尘漱盂巾帕，李、凤二人立于案旁布让。（规矩是大佬的讲究。）外间伺候之媳妇丫鬟虽多，却连一声咳嗽不闻。（更不会随地吐痰了。）饭毕，各各有丫鬟用小茶盘捧上茶来。（服务专人化。）当日林家教女以惜福养身，每饭后必过片时方吃茶，不伤脾胃；今黛玉见了这里许多规矩，不似家中，亦只得随和着些，接了茶。（入乡随俗，黛玉很乖啊。）又有人捧过漱盂来，黛玉也漱了口，又盥手毕。然后又捧上茶来，这方是吃的茶。贾母便说：『你们去罢，让我们自在说话儿。』王夫人听了，忙起身，说了两句闲话，方引李、凤二人去了。贾母因问黛玉念何书，黛玉道：『刚念了《四书》。』黛玉又问姊妹们读何书，贾母道：『读什么书，不过认几个字罢了！』（读什么书？黛玉要是根本不读书，是不是会多活几年，幸福一些呢？四书培养出来的，不全是『儒』。）

一语未了，只听外面一阵脚步响，丫鬟进来报道：『宝玉来了。』（宝玉出场与熙凤出场，都是充分铺垫的重头戏，又都由黛玉的视角来写，反映了这三个人在『红』中的重要地位。）黛玉心中想：『这个宝玉不知是怎生个惫懒人物！』及至进来，原是一个青年公子，头上戴着束发嵌宝紫金冠，齐眉勒着二龙抢珠金抹额，一件二色金百蝶穿花大红箭袖，束着五彩丝攒花结长穗宫绦，外罩石青起花八团倭缎排穗褂，登着青缎粉底小朝靴；（这身行头到了今天，只能是戏装。）面若中秋之月，色如春晓之花，鬓若刀裁，眉如墨画，鼻如悬胆，睛若秋波，虽怒时而似笑，即瞋视而有情；项上金螭缨络，又有一根五色丝绦，系着一块美玉。

黛玉一见便吃一大惊，心中想道：『好生奇怪，倒像在那里见过的，何等眼熟！』（她想。说明『红』已重视写心理活动了。见一个人而曰『倒像在那里见过』，是很俗的写法，但在规模庞大的『红』中，只此一次，便仍显非同一般。）只见这宝玉向贾母请了安，贾母便命：『去见你娘来。』即转身去了。一回再来时，已换了冠带，头上周围一转的短发，即结成小辫，红丝结束，共攒至顶中胎发，总编一根大辫，黑亮如漆，从顶至梢，一串四颗大珠，用金八宝坠脚；身上穿着银红撒花半旧大袄；仍旧带着项圈、宝玉、寄名锁、护身符等物；下面半露松花撒花绫裤，锦边弹墨袜，厚底大红鞋。越显得面如傅粉，唇若施脂；转盼多情，语言若笑。天然一段风韵，全在眉梢；平生万种情思，悉堆眼角。（偏于俊秀，带女性味。还不懂『寻找男子汉』。）看其外貌，最是极好，却难知其底细，后人有作《西江月》二词批宝玉极确，其词曰：

无故寻愁觅恨，有时似傻如狂；纵然生得好皮囊，腹内原来草莽。潦倒不通庶务，愚顽怕读文章；行为偏僻性乖张，那管世人诽谤！（多情，敏感。草莽者，偏于自然，未深受文明之害也。特立独行，个性尚能保持。公子哥儿的通病。）

富贵不知乐业，贫穷难耐凄凉；可怜辜负好韶光，于国于家无望。天下无能第一，古今不肖无双；寄言纨裤与膏粱：莫效此儿形状！（贬损有加，仍不失可爱，道是无情却有情，作者写这个人物最放得开。与写贾政、王夫人、元春的精神状态不同。）

却说贾母笑道：『外客未见就脱了衣裳！还不去见你妹妹。』宝玉早已看见了一个姊妹，便料定是林姑妈之女，忙来作揖，相见毕归坐，细看形容，与众各别：

两弯似蹙非蹙笼烟眉，一双似喜非喜含情目。态生两靥之愁，娇袭一身之病。泪光点点，娇喘微微。闲静似娇花照水，行动似弱柳扶风。心较比干多一窍，病如西子胜三分。

宝玉看罢，笑道：『这个妹妹我曾见过的。』（宝玉眼中的黛玉，包含着性中心的潜意识。与书中黛玉的实际表现不尽一致，他想了，并说了：『我曾见过。』黛玉也想了，却没说也不能说。）贾母笑道：『可又是胡说，你何曾见过他？』宝玉笑道：『虽然未曾见过他，然看着面善，心里像倒是旧相认识，恍若远别重逢的一般。』贾母笑道：『好，好！若如此更相和睦了。』

宝玉便走向黛玉身边坐下，又细细打谅一番，因问：『妹妹可曾读书？』黛玉道：『不曾读书，只上了一年学，些须认得几个字。』宝玉又道：『妹妹尊名？』黛玉便说了名，宝玉又道：『表字？』黛玉道：『无字。』宝玉笑道：『我送妹妹一字，莫若「颦颦」二字极妙。』（一见面先命名，再寻典，端的文化得紧。）探春便道：『何处出典？』宝玉道：『《古今人物通考》上说：「西方有石名黛，可代画眉之墨。」况这妹妹眉尖若蹙，用取这两个字岂不甚美？』探春笑道：『只恐又是杜撰。』宝玉笑道：『除《四书》，杜撰的太多，偏只我是杜撰不成？』

又问黛玉：『可有玉没有？』（一见便亲。）众人都不解，黛玉便忖度着：『因他有玉，故问我有无。』因答道：『我没有。那玉亦是件罕物，岂能人人皆有？』

宝玉见黛玉而问玉、摔玉，是宝黛爱情线索上的一个极重要的事件，但解读起来不易。一、象征的，有玉与无玉的矛盾从一开始便显出来了。二、心理的，与『妹妹』认同，不要自己的多余的『劳什子』。三、情感的，一见钟情，一见就兴奋躁狂，就『病』。四、准策略的，通过摔玉引起黛玉的注意。五、发泄的，随时准备发泄，越是富贵越是懑闷，有玉无玉，找借口罢了。六、宿命的，从一开始便是『不是冤家不聚头』。七、天真的，一句妹妹『可有玉没有』，令人泪下。

宝玉听了，登时发作起狂病来，摘下那玉，就狠命摔去，骂道：『什么罕物！人的高下不识，还说灵不灵呢！我也不要这劳什子。』（以变态写人物，不但注意人物的常态，更注意其变态。这里有一种永远理不清的悲剧性，疯狂性。）吓的地下众人一拥争去拾玉，贾母急的搂了宝玉道：『孽障！你生气要打骂人容易，何苦摔那命根子！』宝玉满面泪痕泣道：『家里姐姐妹妹都没有，单我有，（『单我有』也者，有无弗洛伊德呢？）我说没趣，如今来了这个神仙似的妹妹也没有，可知这不是个好东西。』贾母忙哄他道：『这妹妹原有玉来的，因你姑妈去世时，舍不得你妹妹，无法可处，遂将他的玉带了去，一则全殉葬之礼，尽你妹妹之孝心；二则你姑妈之灵亦可权作见了你妹妹之意。因此他只说没有玉，也是不便自己夸张之意。你如今怎比得他，还不好生慎重带上，仔细你娘知道了。』（怎么编得这样方便？莫非早有准备？说谎决不打等儿，本领乎？恶劣乎？）说着便向丫鬟手中接来，亲与他带上。宝玉听如此说，想一想，也就不生别论了。（宝玉的病态，来得突兀，去得便宜。也是虎头蛇尾。）

第四回　薄命女偏逢薄命郎　葫芦僧判断葫芦案

毛泽东氏倡第四回是总纲说，他是作为革命家、政治家，把『红』定性为『政治小说』，把『红』的内容定为『贾、王、史、薛四大家族兴衰史』，以阶级斗争为纲来探讨的。当然四回极重要，四回确实讲到了『四大家族』，言之有理。如果从哲理上掌握，还是第一回开宗明义。从爱情、从十二钗的命运及整个人物的命运来看呢，总纲却是下一回了。一般红学家最重视、最花力气破译的也是第五回。『总纲』多了，还算不算总纲？麻就麻烦在『红』这部书太立体，太『多元』。谁又能一以制之呢。

却说黛玉同姊妹们至王夫人处，见王夫人与兄嫂处的来使计议家务，又说姨母家遭人命官司等语。因见王夫人事情冗杂，姐妹们遂出来，至寡嫂李氏房中来了。

原来这李氏即贾珠之妻。珠虽夭亡，幸存一子，取名贾兰，今方五岁，已入学攻书。这李氏亦系金陵名宦之女，（引出了薛家，却先插叙一段李氏与贾兰。从阅读上说，不是好办法。但又无法另写李纨。长篇小说——特别是忠于生活的长篇，结构上的不得已处比比皆是。）父名李守中，曾为国子祭酒；族中男女无不读诗书者，至李守中继续以来，便谓『女子无才便为德』，故生了便不十分认真读书，只不过将些《女四书》《烈女传》读读，认得几个字罢了，记得前朝这几个贤女便了；却以纺绩女红为要，因取名为李纨，字宫裁。因此这李纨虽青春丧偶，且居处于膏粱锦绣之中，竟如『槁木死灰』一般，一概不问不闻，惟知侍亲养子，外则陪侍小姑等针黹诵读而已。（为何处于膏梁锦绣之中有助于在丧偶前提下槁木死灰化呢？是不是在下层百姓中，寡妇身上的绳索稍稍松一些？今日读之，怵目惊心。）今黛玉虽客居于此，已有这几个姑嫂相伴，除老父之外，余者也就无用虑及了。

如今且说贾雨村授了应天府，（又把贾雨村调动出来了。作家的工作，有时近似人事部长呢。贾雨村并非特色人物，但书中颇有些『杂差』，可以设想，长篇小说作者为了『节约』人物，便把某些杂差『派』给了一些次要人物。）一到任就有件人命官司详至案下，乃是两家争买一婢，各不相让，以致殴伤人命。彼时雨村即拘原告之人来审，那原告道：『被殴死者乃小人之主人。因那日买了一个丫头，不想系拐子拐来卖的。这拐子先已得了我家的银子，我家小主人原说第三日方是好日子，再接入门，这拐子又悄悄的卖与了薛家，被我们知道了，去找拿卖主，夺取丫头。无奈薛家原系金陵一霸，倚财仗势，众豪奴将我小主人竟打死了。凶身主仆已皆逃走，无踪迹了，只剩了几个局外之人。小人告了一年的状，竟无人作主。求太老爷拘拿凶犯，以扶善良，存殁感激天恩不尽！』

雨村听了大怒道：『岂有这等事！打死了人，竟白白走了拿不来的！』（『拿不来的』即『岂有拿不来的』！『红』的对白很口语化，故语法意义常不完整。）发签差公人立刻将凶犯家属拿来拷问。只见案旁立着一个门子，使眼色不令他发签。雨村心下狐疑，只得停了手。退堂至密室，令从人退去，只留此门子一人伏侍。门子忙上前请安，笑问：『老爷一向加官进禄，八九年来，就忘了我了？』雨村道：『却十分面善，一时想不起来。』门子笑道：『贵人多忘事，把出身之地竟忘了，不记得当年葫芦庙里之事么？』（贵人忘出身，有点幽默了。但门子这样说，放肆了。有祸生焉。）

雨村大惊，方忆起往事。原来这门子本是葫芦庙里一个小沙弥，因被火之后，无处安身，想这件生意倒还轻省，耐不得寺院凄凉景况，遂趁年纪尚轻，蓄了发，充当门子。（又是突破时空。沙弥乎，门子乎？国人之出世入世何等便利？）

雨村那里料得是他，便忙携手笑道：『原来是故人。』因令坐了好谈。这门子不敢坐，雨村笑道：『贫贱之交不可忘也，此系私室，但坐何妨。』这门子方告了坐，斜签着坐了。（座位学不但考虑『位』，还要考虑坐姿。立如松、坐如钟，不符合座位学原理。）

雨村道：『方才何故不令发签？』这门子道：『老爷荣任到此，难道就没抄一张本省的「护官符」来不成？』（一针见血，直奔主题。此门子堪为大夫师矣。）雨村忙问：『何为「护官符」？』门子道：『如今凡作地方官者皆有一个私单，上面写的是本省最有权势极富贵的大乡绅名姓，各省皆然；（权贵是官场的主宰，不可不察。）倘若不知，一时触犯了这样的人家，不但官爵，只怕连性命也难保呢！（生死攸关！）所以叫做「护官符」。方才所说的这薛家，老爷如何惹得他！他这件官司并无难断之处，从前的官府，都因碍着情分脸面，所以如此。』一面说，一面从顺袋中取出一张抄的『护官符』来，递与雨村，看时，上面皆是本地大族名宦之家的谚俗口碑，云：

贾不假，白玉为堂金作马。

阿房宫，三百里，住不下金陵一个史。

东海缺少白玉床，龙王来请金陵王。

丰年好大雪，珍珠如土金如铁。（毛泽东概括为『四大家族』，极是。）

雨村尚未看完，忽闻传点，报：『王老爷来拜。』（哪个王老爷？拜什么？作者在卖关子。关系网的力量。）雨村忙具衣冠出去接迎。有顿饭工夫方回来，问这门子，门子道：『这四家皆连络有亲，一损俱损，一荣俱荣，扶持遮饰，

皆有照应的。今告打死人之薛就是「丰年大雪」之「薛」也。不单靠这三家，他的世交亲友在都在外者本亦不少，老爷如今拿谁去？』雨村听如此说，便笑问门子道：『如你这样说来，却怎么了结此案？你大约也深知这凶犯躲的方向了？』

门子笑道：『不瞒老爷说，不但这凶犯躲的方向我知道，并这拐卖的人我也知道，死鬼买主也深知道，待我细说与老爷听：（你知道得太多了！）这个被打死的乃是一个小乡宦之子，名唤冯渊，父母俱亡，又无兄弟，守着些薄产度日；年纪十八九岁，酷爱男风，不甚好女色。这也是前生冤孽，可巧遇见这拐子卖丫头，他便一眼看上了这丫头，立意买来作妾，设誓不近男色，也不再娶第二个了，所以郑重其事，必得三日后方进门。谁知这拐子又偷卖与薛家，他意欲卷了两家的银子而逃，（警惕这种拐子吧！）谁知又走不脱，两家拿住，打了个半死，都不肯收银，各要领人。那薛公子岂肯让人的，便喝令下人动手，将冯公子打了个稀烂，抬回去三日竟死了。这薛公子原早择下日子要上京去的，既打了冯公子，夺了丫头，他便没事人一般，只管带了家眷走他的路，并非为此而逃。这人命些些小事，（『些些小事』，讲得好。在法律面前人与人不能平等，这是我们的传统中的痼疾、毒瘤。）自有他弟兄奴仆在此料理。这且别说，老爷可知这被卖之丫头为谁？』雨村道：『我如何得知？』门子冷笑道：『这人还是老爷的大恩人呢！他就是葫芦庙旁住的甄老爷的女儿，小名英莲的。』雨村骇然道：『原来就是他！闻得他自五岁被人拐去，却如今才卖呢？』

门子道：『这种拐子单拐的是幼女，养至十二三岁，带至他乡转卖。当日这英莲，我们天天哄他玩耍，极相熟

的，所以隔了七八年，虽模样儿出脱得齐整，然大段未改，所以认得他。（话虽如此，令人想象，门子黑道上亦有关系焉。）且他眉心中原有米粒大的一点胭脂痦，从胎里带来的。偏生这拐子又租了我的房舍居住，那日拐子不在家，我也曾问他，他说是被拐子打怕了的，万不敢说，只说拐子是他亲爹，因无钱还债故卖的。我哄他再四，他又哭了，只说：「我原不记得小时之事。」这无可疑了。那日冯公子相见了，兑了银子，因拐子醉了，英莲自叹说：「我今日罪孽可满了！」后又听见冯公子三日后才令过门，他又转有忧愁之态。我又不忍，等拐子出去，又叫内人去解释他：「这冯公子必待好日期来接，可知必不以丫鬟相看。况他是个绝风流人品，家里颇过得，素性又最厌恶堂客，今竟破价买你，后事不言可知。只耐得三两日，何必忧闷？」他听如此说，方略解些，自谓从此得所。谁料天下竟有不如意事，第二日，他偏又卖与了薛家。若卖与第二家还好，这薛公子的混名，人称他「呆霸王」，最是天下第一个弄性尚气的人，而且使钱如土，遂打了个落花流水，生拖死拽，把个英莲拖去，如今也不知死活。（命运为何常违人意？）这冯公子空喜一场，一念未遂，反花了钱，送了命，岂不可叹！」

门子的话写得很细，很具体。老爷的处理写得很虚。也是「为尊者讳」。对官场，矛头瞄得低一点，与人方便，自己方便。

雨村听了亦叹道：「这也是他们的孽障遭遇，亦非偶然，不然这冯渊如何偏只看上了这英莲？这英莲受了拐子这几年折磨，才得了个路头，且又是个多情的，若果聚合了，倒是件美事，偏又生出这段事来。这薛家纵比冯家富贵，想其为人，自然姬妾众多，淫佚无度，未必及冯渊定情于一人。这正为梦幻情缘，恰遇见一对薄命儿女。且不要议论他人，（是「他人」，而不是「恩人」之女了。）只目今这官司如何剖断才好？」门子笑道：「老爷当年何

其明决，今日何反成个没主意的人了！（没主意，是因为善心未全泯，恶得还不透。）小的闻得老爷补升此任，系贾府王府之力；此薛蟠即贾府之亲，老爷何不顺水行舟，做个人情，将此案了结，日后也好去见贾王二公。」雨村道：「你说的何尝不是。但事关人命，蒙皇上隆恩起复委用，正竭力图报之时，岂可因私枉法，是实不忍为的。」（把皇上的牌子都打出来了，最后还是得听「门子」的。不为「皇上」一叹乎？）门子听了冷笑道：「老爷说的何尝不是，但如今世上是行不去的，岂不闻古人有言「大丈夫相时而动」，又曰「趋吉避凶者为君子」。依老爷这说，不但不能报效朝廷，亦且自身不保，还要三思为妥。」（这是一切官员，而且不仅官员常常面临的悖论——两难选择：不自保焉能报效？枉法以保自己，又哪里谈得上报效？报效难！）

雨村低了头，半日方说道：「依你怎么样？」门子道：「小人已想了个极好的主意在此：老爷明日坐堂，只管虚张声势，动文书，发签拿人，凶犯自然是拿不来的，原告固是不依，只用将薛家族人及奴仆人等拿几个来拷问，小的在暗中调停，令他们报个「暴病身亡」，合族中及地方上共递一张保呈，老爷只说善能扶鸾请仙，堂上设了乩坛，令军民人等只管来看，（请出仙来为护官符所用。你管得太具体了。到了此时此地，「仙」也鄙俗化了。）老爷只说：「乩仙批了，死者冯渊与薛蟠原系夙孽，今狭路相遇，原因了结。今薛蟠已得了无名之病，被冯魂追索而死。其祸皆由拐子而起，除将拐子按法处治外，余不略及」等语。小人暗中嘱咐拐子，令其实招；众人见乩仙批语与拐子相符，自然不疑了。薛家有的是钱，老爷断一千也可，五百也可，与了冯家作烧埋之费。那冯家也无甚要紧的人，不过为的是钱，有了银子，也就无话了。老爷细想，此计如何？」雨村笑道：「不妥，不妥。等我再斟酌斟酌，或可压服口声也

罢了。』二人计议已定。

至次日坐堂，勾取一干有名人犯，雨村详加审问，果见冯家人口稀少，（人口稀少，便处弱势，能不增加人口乎？）不过赖此欲得些烧埋之银；薛家仗势倚情，偏不相让，故致颠倒未决。雨村便徇情枉法，胡乱判断了此案，冯家得了许多烧埋银子，也就无甚话说了。雨村便疾忙修书二封与贾政并京营节度使王子腾，不过说『令甥之事已完，不必过虑』之言寄去。此事皆由葫芦庙内沙弥新门子所为，雨村又恐他对人说出当日贫贱时事来，因此心中大不乐意。（第一，雨村必须遵循门子的护官符办事。第二，雨村不能一一照办，否则岂不成了门子的傀儡？第三，一定要处理掉门子。这是合乎官术的。）后来到底寻了他一个不是，远远的充发了才罢。（自取其咎。你说得放肆，知得仔细，管得具体：你算什么东西？不知道喜欢给上司『教坏』的大小『门子』能从此『门子』的遭遇里汲取点教训不？有道是『狗改不了吃屎』。）

当下言不着雨村。且说那买了英莲，打死冯渊的那薛公子，亦系金陵人氏，本是书香继世之家，只是如今这薛公子幼年丧父，寡母又怜他是个独根孤种，未免溺爱纵容些，遂致老大无成；（溺爱以至于斯！）且家中有百万之富，现领着内帑钱粮，采办杂料。这薛公子学名薛蟠，表字文起，性情奢侈，言语傲慢，虽也上过学，不过略识几个字，终日惟有斗鸡走马，游山玩景而已。虽是皇商，一应经纪世事，全然不知，不过赖祖父旧日的情分，户部挂虚名，支领钱粮，其余事体，自有伙计老家人等措办。（特权毒化、腐化下一代，寄生性是病根，必然导致沉疴不治。）寡母王氏乃现任京营节度使王子腾之妹，与荣国府贾政的夫人王氏，是一母所生的姊妹，今年方四十上下，只有薛蟠一子。还有一女，比薛蟠小两岁，乳名宝钗，生得肌骨莹润，举止娴雅。（『肌骨』等八个字，有贵妇风。宝钗似在无意中介绍出来。）

当时他父亲在日，极爱此女，令其读书识字，较之乃兄，竟高十倍。自父亲死后，见哥哥不能安慰母心，他便不以书字为念，只留心针黹家计等事，好为母亲分忧代劳。（克己复礼，先人后己，有人无己。）近因今上崇尚诗礼，征采才能，降不世之隆恩，除聘选妃嫔外，在世宦名家之女，皆得亲名达部，以备选择，为宫主郡主入学陪侍，充为才人赞善之职。（给女子以『上进』之路，遂有宝钗响应。）自薛蟠父亲死后，各省中所有的买卖承局、总管、伙计人等，见薛蟠年轻不谙世事，便趁时拐骗起来，京都几处生意，渐亦销耗。薛蟠素闻得都中乃第一繁华之地，正思一游，便趁此机会，一来送妹待选，（送妹待选，何如此积极？宫中的事是好做的，宫中地方是一个女孩儿去得的么？）二来望亲，三来亲自入都销算旧账，再计新支，其实只为游览上国风光之意。（『出差』与『旅游』相结合，『红』已有之，『薛』已有之。）因此早已检点下行装细软，以及馈送亲友各色土物人情等类，正择日起身，不想偏遇了那拐子，买了英莲。薛蟠见英莲生得不俗，（至今至少是在香港，喜用『不俗』作为褒语。北方反而少了。）立意买了，又遇冯家来夺，因恃强喝令手下豪奴将冯渊打死，便将家中事务，一一嘱托了族中人并几个老家人，他便带了母妹等，竟自起身长行去了。人命官司，他却视为儿戏，自谓花上几个臭钱，没有不了的。（表面上靠臭钱，实际上靠势力。）

在路不记其日。那日已将入都，又闻得母舅王子腾升了九省统制，奉旨出都查边，薛蟠心中暗喜道：『我正愁进京去有母舅管辖，不能任意挥霍，如今升出去，可知天从人愿。』因和母亲商议道：『咱们京中虽有几处房舍，只是这十年来没人居住，那看守的人，未免偷着租赁与人，须得先着人去打扫收拾才好。』（薛蟠憨直，仍然作巧伪之言。）他母亲道：『何必如此招摇！咱们这进京去，原是先拜望亲友，或是在你舅舅处，或是你姨爹家，他两家的房舍极是宽敞的，（薛蟠盼望独立些，薛姨妈则有意联络公关攀附。）咱们且住下，再慢慢儿的着人去收拾，岂不消停些。』薛蟠道：『如今舅舅正升了外省去，家里自然忙乱起身，咱们这回子反一窝一拖的奔了去，岂不没眼色些。』他母亲道：『你舅舅虽升了去，还有你姨爹家。况这几年来，你舅舅姨娘两处每每带信捎书接咱们来。如今既来了，你舅舅虽忙着起身，你贾家的姨娘未必不苦留我们。咱们且忙忙的收拾房子，岂不使人见怪？你的意思我却知道，守着舅舅姨母住着，未免拘紧了你，不如各住，好任意施为。你既如此，你自去挑所宅子去住，我和你姨娘姊妹们别了这几年，却要厮守几日，我带了你妹子去投你姨娘家去，你道好不好？』薛蟠见母亲如此说，情知扭不过的，只得吩咐人夫，一路奔荣国府而来。

那时王夫人已知薛蟠官司一事亏贾雨村就中维持了，才放了心，又见哥哥升了边缺，正愁少了娘家的亲戚来往，略加寂寞。（王夫人的娘家亲戚云云，似乎话中有话。）过了几日，忽家人报：『姨太太带了哥儿姐儿合家进京，在门外下车了。』喜的王夫人忙带了人接出大厅来，将薛姨妈等接了进去。姊妹们暮年相见，（四十上下就算暮年了！还是不能不肯定现代医学保健与新中国卫生事业的成就。）悲喜交集，自不必说；叙了一番契阔，又引着拜见贾母，将人情土物各种酬献了，合家俱厮见过，又治席接风。

薛蟠拜见过贾政贾琏，又引着见了贾赦贾珍等。贾政便使人上来对王夫人说：『姨太太已有了春秋，外甥年轻，不知庶务，在外住着，恐又要生事。咱们东南角上梨香院，一所十来间，白空闲着，叫人打扫了，请姨太太和姐儿哥儿住了甚好。』王夫人原要留住，贾母也就遣人来说：『请姨太太就在这里住下，大家亲密些。』薛姨

妈正欲同居一处，方可拘紧些儿，若另在外，恐纵性惹祸，遂忙道谢应允。又私与王夫人说明：『一应日费供给，一概免却，方是处常之法。』（占地方不占开支。务实态度。）王夫人知他家不难于此，遂亦从其愿。从此后，薛家母女就在梨香院中住了。

原来这梨香院乃当日荣公暮年养静之所，小小巧巧，约有十余间房舍，前厅后舍俱全；另有一门通街，薛蟠家人就走此门出入。西南又有一角门，通一夹道，出了夹道，便是王夫人正房的东院了。每日或饭后，或晚间，薛姨妈便过来，或与贾母闲谈，或与王夫人相叙。宝钗日与黛玉、迎春姊妹等一处，或看书下棋，或做针黹，倒也十分乐意。只是薛蟠起初原不欲在贾府中居住，生恐姨父管束，不得自在；无奈母亲执意在此，且贾宅中又十分殷勤苦留，只得暂且住下，一面使人打扫出自家的房屋，再移居过去。谁知自此间住了不上一月，贾宅族中凡有的子侄，俱已认熟了一半，都是那些纨裤气习，莫不喜与他来往，今日会酒，明日观花，甚至聚赌嫖娼，无所不至，引诱的薛蟠比当日更坏了十倍。（因富贵而腐化堕落，挡也挡不住。）虽说贾政训子有方，治家有法，（开始表现贾政的不中用。）一则族大人多，照管不到；二则现在房长乃是贾珍，彼乃宁府长孙，又现袭职，凡族中事都是他掌管；三则公私冗杂，且素性潇洒，（潇洒，原可能是无能的掩饰。）不以俗事为要，每公暇之时，不过看书着棋而已。况这梨香院相隔两层房舍，又有街门别开，任意可以出入，这些子弟们，可以放意畅怀的。因此遂将移居之念，渐渐打灭了。日后何如，下回分解。

黛玉进荣府，正戏开场，第三回才进了戏，第四回又岔出去，护官符呀，门子呀，冯渊呀，薛家呀，不得不打断。一般较单纯

的作品的『主线』范畴，不很适用于《红楼梦》。一个作品越是忠于生活，视野开阔，越是必须突破线性结构，它要撇出许多点，延伸许多线，它不是专门盯着哪一个人物哪一个事件的，这就更需要功力，使每章每节每段每句都有引人入胜处，即使你尚未进戏，未抓住情节线索，仍然会津津有味地读下去。

写长篇小说如用兵，有前哨战，有外围战，有突然空降，有欲擒故纵，刚写到贾府，又舍近写远去了。

第五回　贾宝玉神游太虚境　警幻仙曲演红楼梦

这段综述，一般地技巧地说，本为小说家所忌，盖综合判断跑到了叙述描写、情节展开的前面去了，概念走到了艺术表现的前面，作者先期把结论捅给了读者。然而，大师、巨著，自有不计小节处，由于有真情实感真生活真学问，由于有无数活生生的东西即将表现出来，技巧不再重要，技巧上的失策乃便是不拘一格，化腐朽为神奇。而缺少总体价值的三流作家三流作品，即使手法讲究，也只是化神奇为腐朽。大师就是大师，不服不行。

第四回中既将薛家母子在荣府中寄居等事略已表明，此回则暂不能写矣。（随意一提，就是旁白，也起到了间离的效果。）如今且说林黛玉自在荣府，一来贾母万般怜爱，寝食起居，一如宝玉，而迎春、探春、惜春三个孙女儿倒且靠后；便是宝玉和黛玉二人之亲密友爱处，亦较别个不同；日则同行同坐，夜则同止同息，真是言和意顺，似漆如胶。（几句大实话说得明明白白。越研究可就越复杂了。）不想如今忽然来了一个薛宝钗，年纪虽大不多，然品格端方，

容貌美丽，人谓黛玉所不及。而宝钗行为豁达，随分从时，不比黛玉孤高自许，（从第三回对于黛玉的描写看，实未见孤高自许。）目无下尘，故深得下人之心；便是那些小丫头们，亦多与宝钗顽笑。因此黛玉心中便有些不忿之意，宝钗却浑然不觉。（浑然不觉是一种上等状态，大致可能：一、大智若愚，确实不觉。二、不喜是非，有意『不觉』。三、以不觉胜有觉，以开朗胜计较，不战而胜，是为上上。四、越有信心就越不需要去觉去察去忿去争。五、越不觉越处于有利地位，越有『选票』。）那宝玉亦在孩提之间，况自天性所禀，一片愚拙偏僻，视姊妹兄弟皆出一意，并无亲疏远近之别。如今与黛玉同处贾母房中坐卧，故略比别个姊妹熟惯些。既熟惯，则更觉亲密；既亲密，则不免有求全之毁，不虞之隙。（已概括了三人关系的基本格局。似是废话，却收不动声色的效果。）这日不知为何，二人言语有些不合起来，黛玉又在房中独自垂泪，宝玉又自悔言语冒撞，前去俯就，那黛玉方渐渐回转来。

因东边宁府花园内梅花盛开，贾珍之妻尤氏乃治酒具，请贾母、邢夫人、王夫人等赏花。是日先带了贾蓉夫妻二人来面请。贾母等于早饭后过来，就在会芳园游玩，先茶后酒。不过是宁荣二府眷属家宴，并无别样新文趣事可记。

一时宝玉倦怠，欲睡中觉，贾母命人好生哄着歇息一回再来。贾蓉之妻秦氏便忙笑道：『我们这里有给宝叔收拾下的屋子，（为什么这里『有』给宝玉准备的房室？）老祖宗放心，只管交与我就是了。』又向宝玉的奶娘丫鬟等道：『嬷嬷、姐姐们，请宝叔随我这里来。』贾母素知秦氏是极妥当的人，生得袅娜纤巧，（极妥当的袅娜纤巧？）行事又温柔和平，乃重孙媳中第一个得意之人，见他去安置宝玉，自是安稳的。（极妥当是什么意思？为何贾母秦知素氏极妥当？第一得意又是与谁比出来的？又强调一次安稳。不免欲擒故纵，令读者警觉，关注她的妥当与否了。）

当下秦氏引了一簇人来至上房内间，宝玉抬头看见是一幅画贴在上面，人物固好，其故事乃是『燃藜图』也，心中便有些不快。又有一副对联，写的是：

世事洞明皆学问，人情练达即文章。

及看了这两句，纵然室宇精美，铺陈华丽，亦断断不肯在这里了，忙说：『快出去！快出去！』秦氏听了笑道：『这里还不好，往那里去呢？不然往我屋里去罢。』宝玉点头微笑，（宝玉为何微笑？）有一嬷嬷说道：『那里有个叔叔往侄儿媳妇房里睡觉的礼？』秦氏笑道：『嗳哟，不怕他恼，他能多大了，就忌讳这些么？上月你没有看见我那个兄弟来了，虽然和宝叔同年，两个人若站在一处，只怕那一个还高些呢。』（无为有处有还无。预伏下秦钟。）宝玉道：『我怎么没有见过他，你带他来我瞧瞧。』众人笑道：『隔着二三十里，那里带去？见的日子有呢。』

说着大家来至秦氏房中。刚至房中，便有一股细细的甜香袭人，宝玉便觉得眼饧骨软，（什么香？怎么骨都软了？这种气味是极富性感的。底下种种描写亦富性的暗示。）连说：『好香！』入房向壁上看时，有唐伯虎画的『海棠春睡图』，两边有宋学士秦太虚写的一副对联云：

嫩寒锁梦因春冷，芳气袭人是酒香。

案上设着武则天当日镜室中设的宝镜，一边摆着赵飞燕立着舞的金盘，盘内盛着安禄山掷过伤了太真乳的木瓜。上面设着寿昌公主于含章殿下卧的宝榻，悬的是同昌公主制的连珠帐。（此室端的不凡，无怪乎刘心武倡秦可卿别有大来历说，猜测秦是金枝玉叶，因家庭在政治风波中遭到厄运，才被贾府保护在府中。）宝玉含笑道：『这里好！这里好！』秦氏笑道：『我

这屋子大约神仙也可以住得的。』（秦氏出语不凡。）说着，亲自展开了西施浣过的纱衾，移了红娘抱过的鸳枕，于是众奶姆伏侍宝玉卧好了，款款散去，只留下袭人、秋纹、晴雯、麝月四个丫鬟为伴。秦氏便吩咐小丫鬟们好生在檐下看着猫儿打架。（俏皮。引起了许多红学家的疑心。）

那宝玉才合上眼，便恍恍惚惚的睡去，犹似秦氏在前，遂悠悠荡荡，随了秦氏至一所在。（这就叫感觉，这就是东方意识流。）但见朱栏玉砌，绿树清溪，真是人迹不逢，飞尘罕到。宝玉在梦中欢喜，想道：『这个去处有趣，我就在这里过一生，虽然失了家也愿意，强如天天被父母打去。』（梦不忘打，宝玉其实老实可怜。）正胡思之间，忽听见山后有人作歌曰：

春梦随云散，飞花逐水流；

寄言众儿女：何必觅闲愁。（认清万物的好景不常，变动不羁，能销愁乎？更添愁乎？）

宝玉听了是女儿的声气。歌音未息，早见那边走出一个丽人来，蹁跹袅娜，与凡人不同。有赋为证：（加点诗词歌赋，一为卖弄才学，二为调剂节奏、调剂阅读兴味，否则八十万乃至一百二十万字读下来，谁不疲劳？三为刻画、补充叙述，四为审美化，间离化。）

方离柳坞，乍出花房。但行处，鸟惊庭树；将到时，影度回廊。仙袂乍飘兮，闻麝兰之馥郁；荷衣欲动兮，听环佩之铿锵。靥笑春桃兮，云堆翠髻；唇绽樱颗兮，榴齿含香。盼纤腰之楚楚兮，风回雪舞；耀珠翠之辉煌兮，鸭绿鹅黄。出没花间兮，宜嗔宜喜；徘徊池上兮，若飞若扬。蛾眉颦笑兮，将言而未语；莲步乍移兮，欲止而欲行。羡彼之良质兮，冰清玉润；慕彼之华服兮，闪烁文章。爱彼之容貌兮，香培玉篆；美彼之态度兮，凤翥龙翔。其素若何，春梅绽

雪；其洁若何，秋蕙披霜。其静若何，松生空谷；其艳若何，霞映澄塘。其文若何，龙游曲沼；其神若何，月射寒江。应惭西子，实愧王嫱。奇矣哉，生于孰地？来自何方？信矣乎，瑶池不二，紫府无双。果何人哉？若斯之美也！

宝玉见是一个仙姑，喜的忙来作揖，笑问道：『神仙姐姐，不知从那里来，如今要往那里去？我也不知这里是何处，望乞携带携带。』那仙姑道：『吾居离恨天之上，灌愁海之中，乃放春山遣香洞太虚幻境警幻仙姑是也：司人间之风情月债，掌尘世之女怨男痴。因近来风流冤孽，缠绵于此，是以前来访察机会，布散相思。（曰离恨，曰愁，曰虚曰幻，曰债，曰怨曰痴，曰冤孽，本应最美好最幸福最属于生命自身的爱情弄成了什么样子？没有比这更愚蠢、更罪过的了。）今日与尔相逢，亦非偶然。此离吾境不远，别无他物，仅有自采仙茗一盏，亲酿美酒一瓮，素练魔舞歌姬数人，新填「红楼梦」仙曲十二支，可试随我一游否？』（舞、歌离不开魔、姬。）

宝玉听了，喜跃非常，便忘了秦氏在何处，（此处已标明忘了秦氏。）竟随了仙姑至一所在。有石牌横建，上书『太虚幻境』四大字，两边一副对联，乃是：

假作真时真亦假，无为有处有还无。（又一次真假有无的游戏。一是说整部小说的人物、情事亦真亦假，这里则是说爱情的世界亦是真真假假，靠不住的。）

转过牌坊，便是一座宫门，上横书四个大字，道是：『孽海情天』。又有一副对联，大书云：

厚地高天，堪叹古今情不尽；
痴男怨女，可怜风月债难酬。

宝玉看了，心下自思道：『原来如此。但不知何为「古今之情」？又何为「风月之债」？从今倒要领略领略。』宝玉只顾如此一想，不料早把些邪魔招入膏肓了。（邪魔招入膏肓！爱使人如此抬不起头。自戕也。）当下随了仙姑进入二层门内，只见两边配殿，皆有匾额对联，一时看不尽许多，惟见几处写着的是：『痴情司』『结怨司』『朝啼司』『暮哭司』『春感司』『秋悲司』。（爱情的悲剧性与生命的悲剧性，社会的与超社会的——自来的。）看了，因向仙姑道：『敢烦仙姑引我到那各司中游玩游玩，不知可使得？』仙姑道：『此中各司贮的是普天之下所有的女子过去未来的簿册，尔凡眼尘躯，未便先知的。』宝玉听了，那里肯依，复央之再四，警幻便看这司的匾说：『也罢，就在此司内略随喜随喜罢。』宝玉喜不能胜，抬头看这司的匾上，乃是『薄命司』三字，两边写着对联道：

春恨秋悲皆自惹，花容月貌为谁妍。

宝玉看了，便知感叹。（感叹而已，岂能不感叹？）进入门中，只见有十数个大橱，皆用封条封着。看那封条上，皆有各省字样。宝玉一心只拣自己的家乡的封条看，只见那边橱上封条大书『金陵十二钗正册』，宝玉因问：『何为「金陵十二钗正册」？』警幻道：『即贵省中十二冠首女子之册，故为正册。』宝玉道：『常听人说，金陵极大，怎么只十二个女子？如今单我们家里，上上下下就有几百个女孩儿。』警幻微笑道：『贵省女子固多，不过择其紧要者录之。两边二橱则又次之。余者庸常之辈，则无册可录矣。』宝玉再看下首一橱，上写着『金陵十二钗副册』，又一橱上写着『金陵十二钗又副册』。（太虚幻境中，也不可能人人平等。）宝玉便伸手先将『又副册』橱门开了，拿出一本册来，揭开看时，只见这首页上画的，既非人物，亦非山水，不过是水墨滃染，满纸乌云浊雾而已。（乌云浊雾下的人生。）后有几行字迹，写道是：

霁月难逢，彩云易散。心比天高，身为下贱。（「心比天高」云云，概括得精当而又残酷！痛惜！）风流灵巧招人怨。

寿夭多因诽谤生，多情公子空牵念。

宝玉看了，又见后面画着一簇鲜花，一床破席，也有几句言词，写道是：

枉自温柔和顺，空云似桂如兰；

堪羡优伶有福，谁知公子无缘。（枉自、空云、堪羡、谁知，还是有感情的。遗憾！）

宝玉看了不解，遂掷下这个，去开了『副册』橱门，拿起一本册来，揭开看时，只见画着一枝桂花，下面有一池沼，其中水涸泥干，莲枯藕败，后面书云：

根并荷花一茎香，平生遭际实堪伤；（哀伤。）

自从两地生孤木，致使香魂返故乡。

宝玉看了又不解，又去取『正册』看，只见头一页上便画着两株枯木，木上悬着一围玉带；又有一堆雪，雪中一股金簪。（钗黛合一，不是说两个人处处合一，而是指作为曹雪芹以及贾宝玉的女性理想、审美理想，二人的各自的特点结合起来，就是完美，就是理想了。钗黛在理想、在幻境判词中可以合一。在现实中只能分离乃至争斗。固可叹也。）也有四句诗道：

可叹停机德，谁怜咏絮才；

玉带林中挂，金簪雪里埋。

宝玉看了仍不解，待要问时，知他必不肯泄漏天机；待要丢下，又不舍，遂往后看时，只见画着一张弓，弓上挂着一个香橼。也有一首歌词云：

二十年来辨是非，榴花开处照宫闱；

三春怎及初春景，虎兕相逢大梦归。（元春的判词有宿命的威严。）

后面又画着两个人放风筝，一片大海，一只大船，船中有一女子，掩面泣涕之状。也有四句云：

才自清明志自高，生于末世运偏消；（『末世』云云够刺激的。）

清明涕送江边望，千里东风一梦遥。

后面又画几缕飞云，一湾逝水。其词曰：

富贵又何为，襁褓之间父母违；

展眼吊斜辉，湘江水逝楚云飞。（湘云。）

后面又画着一块美玉，落在泥污之中。其断语云：

欲洁何曾洁，云空未必空；

可怜金玉质，终陷淖泥中。（妙玉。）

后面忽画一恶狼，追扑一美女，欲啖之意。其书云：

子系中山狼，得志便猖狂；

金闺花柳质，一载赴黄粱。（迎春判词平平。）

后面便是一所古庙，里面有一美人，在内看经独坐。其判云：

勘破三春景不长，缁衣顿改昔年妆；
可怜绣户侯门女，独卧青灯古佛旁。（惜春。「可怜」云云，说明入世与出世的两难。）

后面便是一片冰山，上有一只雌凤。其判云：

凡鸟偏从末世来，（又是「末世」。）都知爱慕此生才；
一从二令三人木，哭向金陵事更哀。（王熙凤。）

后面又是一座荒村野店，有一美人在那里纺绩。其判云：

势败休云贵，家亡莫论亲；
偶因济刘氏，巧得遇恩人。（巧姐。）

诗后又画一盆茂兰，旁有一位凤冠霞帔的美人。也有判云：

桃李春风结子完，到头谁似一盆兰；
如冰水好空相妒，枉与他人作笑谈。（李纨。）

诗后又画一座高楼，上有一美人悬梁自尽。其判云：

情天情海幻情身，情既相逢必主淫；
漫言不肖皆荣出，造衅开端实在宁。（可卿。这些话说得够露的了。）

宝玉还欲看时，那仙姑知他天分高明，性情颖慧，恐泄漏天机，便掩了卷册，笑向宝玉道：『且随我去游玩奇景，何必在此打这闷葫芦！』（与其寻根问底，不如漫步游玩，此是金玉良言。）

信仰上的宿命论与文学上的宿命感，内涵与价值十分不同。如果一个人告诉我们，我们的命运是写好在一个什么簿册——内分正册、副册、又副册，而由一位仙姑或仙叔保管的，我们只能对这种小儿科式的迷信付之一笑。显然，这是把人间的档案雏形搬到了仙界，这种说法根本不足挂齿。文学描写是另一回事。作为人们对于自己主宰不了自己的命运的悲哀而又无可奈何的感受，作为只好如此、败在命运面前的可怜的人类个体的悲哀和知其究里的渴望与幻想，表达为一个故事化、文学化的太虚幻境经历，我们只能为之嗟叹，为之悲哀，我们读完了这些簿子上的判词只能感到肃穆、畏惧、痛惜，乃至为之惊心动魄。至于这个幻境是否真实，并不重要，假作真时真亦假。幻境即使是假的，幻灭感、宿命感、痛苦、遗憾、无能为力而又恋恋难舍的感觉都是真的，比纪实文学报告文学新闻报道还真。文学承认客观反映的真实，也承认主观感受的真实，即使这种感受从认识论反映论的意义上可以判定为不真实也罢。

宝玉恍恍惚惚，（恍恍惚惚，有点涉笔下意识的意思。）不觉弃了卷册，又随了警幻来至后面。但见珠帘绣幕，画栋雕檐，说不尽的光摇朱户金铺地，雪照琼窗玉作宫。更见仙花馥郁，异草芬芳，真个好所在。又听警幻笑道：『你们快出来迎接贵客！』一言未了，只见房中走出几个仙子来，皆是荷袂蹁跹，羽衣飘舞，娇若春花，媚如秋月。一见了宝玉，都怨谤警幻道：『我们不知系何「贵客」，忙的接了出来！姐姐曾说今日今时必有绛珠妹子的生魂前来游玩，（又扯出黛玉的前生来了。）故我等久待。何故反引这浊物来污染这清净女儿之境？』（浊物！不知与弗洛伊德所论自卑心理有无干涉。）

宝玉听如此说，便吓得欲退不能，果觉自形污秽不堪。警幻忙携住宝玉的手，向众姊妹笑道：『你等不知原委：今日原欲往荣府去接绛珠，适从宁府经过，偶遇荣宁二公之灵，（信笔开河，随意性喽。随意性也是小说创作的一个契机，正像意图性、刻意性是不可少的一样。扯上二公，有为自己找词儿打掩护即拉旗为皮之意。似乎『红』书不离教化宗旨，这里有作者设防的色彩。）嘱吾云：「吾家自国朝定鼎以来，功名奕世，富贵流传，已历百年，奈运终数尽，不可挽回。我等之子孙虽多，竟无可以继业者。惟嫡孙宝玉一人，禀性乖张，用情怪谲，虽聪明灵慧，略可望成，无奈吾家运数合终，恐无人规引入正。幸仙姑偶来，可望先以情欲声色等事警其痴顽，或能使彼跳出迷人圈子，入于正路，亦吾兄弟之幸矣。」如此嘱吾，故发慈心，引彼至此。先以彼家上中下三等女子之终身册籍，令彼熟玩，尚未觉悟；（『觉悟』本佛家语。新中国成立后常讲阶级觉悟政治觉悟，借佛语通佛理也。）故引彼再到此处，令其历饮馔声色之幻，或冀将来一悟，未可知也。』

说毕，携了宝玉入室。但闻一缕幽香，（又是幽香，不能不想到秦氏房中之香。）不知所闻何物。宝玉遂不住相问，警幻冷笑道：『此香尘世中所无，尔何能知！此系诸名山胜境初生异卉之精，合各种宝林珠树之油所制，名为「群芳髓」。』（博采方能精用。）宝玉听了，自是羡慕而已。大家入座，小鬟捧上茶来，宝玉自觉香清味美，迥非常品，因又问何名。警幻道：『此茶出在放春山遣香洞，（与后面的在妙玉那里品茶呼应。）又以仙花灵叶上所带的宿露而烹，此茶名曰「千红一窟」。』（一哭。）宝玉听了，点头称赏。因看房内瑶琴、宝鼎、古画、新诗，无所不有；更喜

窗下亦有唾绒，奁间时渍粉污。壁上也有一副对联，书云：

幽微灵秀地，无可奈何天。

宝玉看毕，无不羡慕，因又请问众仙姑姓名：一名痴梦仙姑，一名钟情大士，一名引愁金女，一名度恨菩提，各各道号不一。少刻，有小鬟来调桌安椅，摆设酒馔，（中华料理，一直料理到了幻境。我们确有重视食文化的传统。）真是：

琼浆满泛玻璃盏，玉液浓斟琥珀杯。

更不用说此馔之盛。宝玉因此酒香冽异常，又不禁相问。警幻道：『此酒乃以百花之蕤，万木之汁，加以麟髓之醅、凤乳之曲酿成，因名为「万艳同杯」。』（同悲。）宝玉称赏不迭。

饮酒间，又有十二个舞女上来，请问演何调曲，警幻道：『就将新制「红楼梦」十二支演上来。』舞女们答应了，便轻敲檀板，款按银筝，听他歌道是：

开辟鸿蒙……（从开天辟地说起，方显幽深。）

方歌了一句，警幻道：（插话的传统。『红』已有之。）『此曲不比尘世中所填传奇之曲，必有生旦净末之则，又有南北九宫之调。此或咏叹一人，或感怀一事，偶成一曲，即可谱入管弦。若非个中人，不知其中之妙；料尔亦未必深明此调，若不先阅其稿，后听其曲，反成嚼蜡矣。』说毕，回头命小鬟取了『红楼梦』原稿来，递与宝玉。宝玉接过来，一面目视其文，耳聆其歌曰：

【红楼梦引子】开辟鸿蒙，谁为情种？都只为风月情浓。奈何天，伤怀日，寂寥时，试遣愚衷。因此上，演

出这悲金悼玉的『红楼梦』。（又是钗黛并提。）

【终身误】都道是金玉良缘，俺只念木石前盟。空对着，山中高士晶莹雪；终不忘，世外仙姝寂寞林。叹人间，美中不足今方信。纵然是齐眉举案，到底意难平。（俺与『都』的对立。有情人终不成眷属。钗与黛分开了。）

【枉凝眉】一个是阆苑仙葩，一个是美玉无瑕。若说没奇缘，今生偏又遇着他；若说有奇缘，如何心事终虚话？一个枉自嗟呀，一个空劳牵挂。一个是水中月，一个是镜中花。想眼中能有多少泪珠儿，怎禁得秋流到冬尽，春流到夏！（可解释为只写宝黛，亦可解释为统写宝对钗、黛的感情。皆通。多义性。不必强求一解。）

却说宝玉听了此曲，散漫无稽，未见得好处；但其声韵凄婉，竟能销魂醉魄。因此也不问其原委，也不究其来历，就暂以此释闷而已。（不甚解——不问其原委，不知其来历——也可以欣赏——销魂醉魄释闷，这是一种讲直觉讲感觉的接受美学。）因又看下面道：

【恨无常】喜荣华正好，恨无常又到。眼睁睁，把万事全抛。荡悠悠，把芳魂销耗。望家乡，路远山高。故向爹娘梦里相寻告：儿命已入黄泉，天伦呵，须要退步抽身早！（人生的各种悲哀，既是特定某人的，又是普泛的，人类的。）

【分骨肉】一帆风雨路三千，把骨肉家园，齐来抛闪。恐哭损残年。告爹娘，休把儿悬念：自古穷通皆有定，离合岂无缘？从今分两地，各自保平安。奴去也，莫牵连。（在现代交通工具出现以前，生离之悲惨正如死别。）

【乐中悲】襁褓中，父母叹双亡。纵居那绮罗丛，谁知娇养？幸生来，英豪阔大宽宏量，从未将儿女私情，略萦心上。好一似，霁月光风耀玉堂。厮配得才貌仙郎，博得个地久天长，准折得幼年时坎坷形状。终久是云散高唐，

王蒙评点 红楼梦

水涸湘江：这是尘寰中消长数应当，何必枉悲伤？（面对命运，人又何言，何堪！）

【世难容】气质美如兰，才华馥比仙。天生成孤癖人皆罕。你道是啖肉食腥膻，视绮罗俗厌；却不知好高人愈妒，过洁世同嫌。可叹这，青灯古殿人将老；孤负了，红粉朱楼春色阑。到头来，依旧是风尘肮脏违心愿；好一似，无瑕白玉遭泥陷；又何须，王孙公子叹无缘？（愈妒，同嫌，人间烦恼仍是逃避不成。）

【喜冤家】中山狼，无情兽，全不念当日根由。一味的，骄奢淫荡贪欢媾。觑着那，侯门艳质同蒲柳；作践的，公府千金似下流。叹芳魂艳魄，一载荡悠悠。（有性虐待的暗示。）

【虚花悟】将那三春看破，桃红柳绿待如何？把这韶华打灭，觅那清淡天和。说什么，天上夭桃盛，云中杏蕊多？到头来，谁见把秋捱过？则看那，白杨村里人呜咽，青枫林下鬼吟哦。更兼着，连天衰草遮坟墓。这的是，昨贫今富人劳碌，春荣秋谢花折磨。似这般，生关死劫谁能躲？闻说道，西方宝树唤婆娑，上结着长生果。（曲词天成，摇曳多姿，绝顶的颓废与虚空中，竟有清淡天和，唤婆娑，长生果之语。又能如何？能不如何！看破终难破，聪明本不明，灯尽意未尽，无情总是情。）

【聪明累】机关算尽太聪明，反算了卿卿性命！生前心已碎，死后性空灵。家富人宁，终个有，家亡人散各奔腾。枉费了，意悬悬半世心；好一似，荡悠悠三更梦。忽喇喇似大厦倾，昏惨惨似灯将尽。呀！一场欢喜忽悲辛。叹人世，终难定！

【留余庆】留余庆，留余庆，忽遇恩人；幸娘亲，幸娘亲，积得阴功。劝人生，济困扶穷，休似俺那爱银钱、

忘骨肉的狠舅奸兄！正是乘除加减，上有苍穹。

【晚韶华】镜里恩情，更那堪梦里功名！那美韶华去之何迅！再休提绣帐鸳衾。只这戴珠冠，披凤袄，也抵不了无常性命。虽说是，人生莫受老来贫，也须要阴骘积儿孙。气昂昂，头戴簪缨，光灿灿，胸悬金印；威赫赫，爵禄高登，昏惨惨，黄泉路近！问古来将相可还存？也只是虚名儿与后人钦敬。（此曲中不无兰桂齐芳，至少是兰芳的影子。）

【好事终】画梁春尽落香尘。擅风情，秉月貌，便是败家的根本。箕裘颓堕皆从敬，家事消亡首罪宁。宿孽总因情！（「从敬」「罪宁」云云，包含的内容似比后面写出来的更多。）

【飞鸟各投林】为官的，家业凋零；富贵的，金银散尽；有恩的，死里逃生；无情的，分明报应。欠命的，命已还；欠泪的，泪已尽。冤冤相报自非轻，分离聚合皆前定。欲知命短问前生，老来富贵也真侥幸。看破的，遁入空门；痴迷的，枉送了性命。好一似食尽鸟投林，落了片白茫茫大地真干净！（悲哀至极，到了这一步反而透亮。真干净，甚至是转悲为喜了呀！）

歌毕，还又歌副歌。警幻见宝玉甚无趣味，因叹：「痴儿竟尚未悟！」那宝玉忙止歌姬不必再唱，自觉朦胧恍惚，告醉求卧。警幻便命撤去残席，送宝玉至一香闺绣阁中，其间铺陈之盛，乃素所未见之物。更可骇者，早有一位女子在内，其鲜艳妩媚，有似乎宝钗，风流袅娜，则又如黛玉。（亦钗亦黛，理想女性，幻境中所有，人间所无者也。）正不知何意，忽警幻道：「尘世中多少富贵之家，那些绿窗风月，绣阁烟霞，皆被淫污纨绔与那些流荡女子悉皆玷辱。更可恨者，自古来，多少轻薄浪子，皆以『好色不淫』为解，又以『情而不淫』作案，此皆饰非掩丑之语也。好色即淫，知情更淫。是以巫山之会，云雨之欢，皆由既悦其色，复恋其情所致也。吾所爱汝者，乃天下古今第一淫人也。」（灵肉统一。）

宝玉听了，唬的忙答道：「仙姑差了。我因懒于读书，家父母尚每垂训饬，岂敢再冒『淫』字？况且年纪尚幼，不知『淫』为何事。」警幻道：「非也。淫虽一理，意则有别。如世之好淫者，不过悦容貌，喜歌舞，调笑无厌，云雨无时，恨不能天下之美女供我片时之趣兴：此皆皮肤滥淫之蠢物耳。如尔则天分中生成一段痴情，吾辈推之为『意淫』。惟『意淫』二字，可心会而不可口传，可神通而不能语达。（意淫，其实就是爱情。）汝今独得此二字，在闺阁中固可为良友，然于世道中未免迂阔怪诡，百口嘲谤，万目睚眦。今既遇令祖宁荣二公剖腹深嘱，吾不忍君独为我闺阁增光而见弃于世道，故引子前来，醉以美酒，沁以仙茗，警以妙曲，再将吾妹一人，乳名兼美表字可卿者，许配与汝。今夕良时，即可成姻。不过令汝领略此仙闺幻境之风光尚然如此，何况尘境之情景哉？而今后，万万解释，改悟前情，留意于孔孟之间，委身于经济之道。」（此可卿即彼可卿乎？非彼可卿乎？亦难得要领，留待读者见仁见智。用这种办法鼓励宝玉改弦更张，留意孔孟，似匪夷所思。自欺乎？欺人乎？太过辩证乎？见解高超，常人难解乎？借口乎？欲盖弥彰乎？）说毕，便秘授以云雨之事，推宝玉入房中，将门掩上自去。（认定这一节是表述宝玉的首次性经验，当可信。同时它又是哲学的、宿命的、神秘的、预言的。当然，人类总是从性当中获取哲学与神秘的信息，古今中外皆有，《周易》便是。）

那宝玉恍恍惚惚，依警幻所嘱之言，未免有儿女之事，难以尽述。至次日，便柔情缱绻，软语温存，与可卿难解难分。因二人携手出去游玩之时，忽然至一个所在，但见荆榛遍地，狼虎同行，迎面一道黑溪阻路，并无桥梁可通。正在犹豫之间，忽见警幻从后追来，说道：『快休前进，作速回头要紧！』宝玉忙止步问道：『此系何处？』警幻道：『此即迷津也，（人生者，迷津也。）深有万丈，遥亘千里，中无舟楫可通，只有一个木筏，乃木居士掌柁，灰侍者撑篙，不受金银之谢，但遇有缘者渡之。尔今偶游至此，设如堕落其中，便深负我从前谆谆警戒之语矣。』话犹未了，只听迷津内响如雷声，有许多夜叉海鬼，将宝玉拖将下去，吓得宝玉汗下如雨，一面失声喊叫：『可卿救我！』吓得袭人辈众丫鬟忙上来搂住，叫：『宝玉不怕，我们在这里。』

却说秦氏正在房外嘱咐小丫头们好生看着猫儿狗儿打架，忽闻宝玉在梦中唤他的小名，因纳闷道：（谁不纳闷？一纳闷，便回到了现实。）『我的小名这里从无人知道，他如何知得，在梦中叫出来？』正在不解，且听下回分解。

历来红学家重视此回，以之为推测人物命运，推测被认为是佚散了的最后四十回内容的依据。从纯小说阅读的角度来看，这一回的最大作用是先把悲剧的结局告诉读者，把虚无的感受传达给读者，底下再怎么写，都处在一种过来人的追忆的色调之中。这实是对时间这个因子的极灵动极大气的处理。终将灭亡的阴影笼罩着全书，盖第一回与第五回之功也。《百年孤独》中有一些对时间翻过来掉过去的处理，『红』已略有之。

远古的来历，浓缩的故事，概括的介绍，主要的角色，都已渐渐浮出水面，然后，所有的旋律与乐器预演一遍，巨大的交响乐正式开始。

王蒙评点

红楼梦

第六回 贾宝玉初试云雨情 刘老老一进荣国府

却说秦氏因听见宝玉在梦中唤他的乳名，心中自是纳闷，又不好细问。彼时宝玉迷迷惑惑，若有所失，众人忙端上桂圆汤来，喝了两口，遂起身整衣，袭人伸手与他系裤带时，刚伸手至大腿处，只觉冰冷一片粘湿，（可卿是人，可卿是梦中的仙，是宝玉的意识流。人的可卿并不了解梦中的仙的可卿。感受主体宝玉，以及雪芹，以及读者却隐隐感到了人的可卿与梦的仙的下意识中的可卿的联系，乃至与贾宝玉的粘湿生理现象的联系。这一处理，实在是妙极了，『先进』极了。作家的经验、真情实感再加上才华，常常走在科学——如生理学——的前面。）唬的忙退出手来，问：『是怎么了？』宝玉红涨了脸，把他的手一捻，袭人本是个聪明女子，年纪又比宝玉大两岁，近来也渐省人事，今见宝玉如此光景，心中便觉察了一半，不觉羞得红涨了脸面，遂不敢再问。仍旧理好了衣裳，随至贾母处来，胡乱吃过晚饭，过这边来，袭人趁众奶娘丫鬟不在旁时，另取出一件中衣，与宝玉换上。

宝玉含羞央道：『好姐姐，千万别告诉别人。』袭人含羞笑问道：『你梦见什么故事了？是那里流出来的那些脏东西？』（问得嗲。是东西脏还是研究处理得脏呢？）宝玉道：『一言难尽。』便把梦中之事细说与袭人知了。说至警幻所授云雨之情，羞的袭人掩面伏身而笑。宝玉亦素喜袭人柔媚姣俏，遂与袭人同领警幻所训云雨之事。袭人自知系贾母将他与了宝玉的，今便如此，亦不为越理，遂和宝玉偷试了一番，幸无人撞见。（越不越理，作者其实提出了一个疑问。雪芹精于反话正说，问话断说（明明是疑问却作出明确判断）。『幸无人撞见』云云，亦靠不住。）自此宝玉视袭人更与别个不同，袭人侍宝玉越发尽职。暂且别无话说。

按荣府一宅中合算起来，人口虽不多，从上至下，也有三百余口人；事虽不多，一天也有一二十件，竟如乱麻一般，并没有个头绪可作纲领。正思从那一件事那一个人写起方妙，却好忽从千里之外，芥豆之微，小小一个人家，因与荣府略有些瓜葛，这日正往荣府中来，因此便就这一家说起，倒还是个头绪。（又岔开去了。初试云雨本是主要人物的主要情节之一，是近乎主线上的事，偏偏轻轻带过，竟扯到刘老老身上去了。真敢摊开了写，撒开了写。上天入地，全凭作者招呼，这就叫「抡开了写」。）

原来这小小之家，姓王，乃本地人氏，祖上曾做过一个小小京官，昔年曾与凤姐之祖王夫人之父认识。因贪王家的势利，便连了宗，认作侄儿。那时只有王夫人之大兄凤姐之父与王夫人随在京的知有此一门远族，余者皆不知也。目今其祖早故，只有一个儿子，名唤王成，因家业萧条，仍搬出城外原乡中住了。王成亦相继身故，有子小名狗儿，娶妻刘氏，生子小名板儿；又生一女，名唤青儿。一家四口，以务农为业。因狗儿白日间又作些生计，刘氏又操井臼等事，青板姊弟两个，无人管着，狗儿遂将岳母刘老老接来，一处过活。（全不相干，姑妄写之。）

这刘老老乃是个久经世代的老寡妇，（久经世代的老寡妇，当然是「博士后」的水平。）膝下又无子息，只靠两亩薄田度日。如今女婿接了养活，岂不愿意，遂一心一计帮着女儿女婿过活起来。因这年秋尽冬初，天气冷将上来，家中冬事未办，狗儿未免心中烦虑，吃了几杯闷酒，在家闲寻气恼，（穷了就在家闲寻气恼，弱者通病。）刘氏不敢顶撞。因此刘老老看不过，乃劝道：『姑爷，你别嗔着我多嘴，咱们村庄人家，那一个不是老老诚诚守着多大碗儿吃多大的饭。（与贾府的超高消费成为对比。）你皆因年小时，托着那老的福，吃喝惯了，如今所以把持不定，有了

钱就顾头不顾尾，没了钱就瞎生气，成了什么男子汉大丈夫了！如今咱们虽离城住着，终是天子脚下。这「长安」城中，遍地皆是钱，只可惜没人会去拿罢了。（不患无钱，患「不会拿」。）在家跳蹋也没用。』狗儿听了道：『你老只会在炕头上坐着混说，难道叫我打劫去不成？』（对于穷人来说，打劫永远是有诱惑力的。）刘老老说道：『谁叫你打劫去呢？也到底大家想个方法儿才好。不然，那银子钱会自己跑到咱们家里来不成？』狗儿冷笑道：『有法儿还等到这会子呢！我又没有收税的亲戚，做官的朋友，有什么法子可想的？（叹息自己没有过硬的亲友，也是古已如此。）便有，也只怕他们未必来理我们呢。』刘老老道：『这倒也不然。「谋事在人，成事在天」，咱们谋到了，靠菩萨的保佑，有些机会，也未可知。我倒替你们想出一个机会来。当日你们原是和金陵王家连过宗的，二十年前，他们看承你们还好，如今是你们拉硬屎，不肯去俯就他，故疏远起来。想当初我和女儿还去过一遭，他家的二小姐，着实爽快会待人的，倒不拿大。如今现是荣国府贾二老爷的夫人，听得他们说，如今上了年纪，越发怜贫恤老，最爱斋僧布施。如今王府虽升了边任，只怕二姑太太还认得咱们，你何不去走动走动？或者他还念旧，有些好处亦未可知。（攀附乎？打劫乎？两条路，要你选择。）只要他发一点好心，拔一根寒毛比咱们的腰还壮呢。』（寒毛与腰对比，既是认命自嘲，又是阶级对比的极而言之。呜呼！）刘氏一旁接口道：『你老说得是，你我这样嘴脸，怎么好到他门上去？只怕他那门上人也不肯去通报，没的去打嘴现世。』

谁知狗儿利名心重，听如此说，心下便有些活动起来；又听他妻子这番话，便笑接道：『老老既如此说，况且当日你又见过这姑太太一次，何不你老人家明日就去走一遭，先试试风头看。』刘老老道：『哎哟！可是说的，

「侯门似海」，（刘老老也知道『侯门似海』！）我是个什么东西，他家人又不认得我，去了也是白去的。』狗儿道：『不妨，我教你个法儿：你竟带了外孙小板儿先去找陪房周瑞，若见了他，就有些意思了。这周瑞先时曾和我父亲交过一桩事，我们本极好的。』（狗儿忽然门槛精起来了。与那吃了几杯酒闲寻气恼的形象不甚一致。）刘老老道：『我也知道。只是许多时不走动，知道他如今是怎样？这说不得的了，你又是个男人，这样个嘴脸，自然去不得。我们姑娘年轻媳妇，也难卖头卖脚去，倒还是舍了我这副老脸去碰一碰。果然有些好处，也大家有益。』当晚计议已定。（一车废话，只为使刘老老的前去合乎情理，抑另有他意焉？）

写贾府，先通过冷子兴的演说，再通过林黛玉的初至，意犹未尽，再通过刘老老与板儿的眼光，旁看，大面上看，保持一定的距离看，然后方可言投入。

次日天未明时，刘老老便起来梳洗了，又将板儿教了几句话；五六岁的孩子，听见带了他进城逛去，便喜的无不应承。于是刘老老带了板儿，进城至宁荣街来。至荣府大门前石狮子旁，只见簇簇的轿马。刘老老便不敢过去，且掸掸衣服，又教了板儿几句话，然后蹲在角门前，只见几个挺胸凸肚，指手画脚的人坐在大门上，说东谈西的。刘老老只得挨上前来问：『太爷们纳福。』（先哈啰后问路，古今中外都是这个礼貌。）众人打量了他一会，便问：『是那里来的？』刘老老陪笑道：『我找太太的陪房周大爷的，烦那位太爷替我请他出来。』那些人听了，都不睬他，半日，方说道：『你远远的那墙脚下等着，一会子他们家里有人就出来的。』内中有一年老的说道：『不要误了他的事，何苦要他。』（老惜老，还好。）因向刘老老道：『那周大爷往南边去了。他在后一带住着，他娘子

却在家。你从这边绕到后街门上找就是了。』

刘老老谢了，遂携着板儿绕至后门上，只见门上歇着些生意担子，也有卖吃的，也有卖玩耍的物件，闹吵吵三二十个孩子在那里厮闹。刘老老便拉住一个道：『我问哥儿一声，有个周大娘可在家么？』孩子道：『那个周大娘？我们这里周大娘有三个呢，还有两位周奶奶，不知是那一行当上的？』（一个周大娘也要铺排一阵，令人厌烦了。）刘老老道：『他是太太的陪房。』孩子道：『这个容易，你跟我来。』引着刘老老进了后院，至一院墙边，指道：『这就是他家。』忙又叫道：『周大妈，有个老奶奶找你呢。』

周瑞家的在内忙迎了出来，问：『是那位？』刘老老迎上来问了个：『好呀，周嫂子。』周瑞家的认了半日，方笑道：『刘老老，你好呀？你说，这几年不见，我就忘了。请家里坐。』刘老老一面走，一面笑说道：『你老是「贵人多忘事」了，那里还记得我们？』（贵人接触的人多，事多，忘也情有可原。刘老老应对有术。）说着，来至房中，周瑞家的命雇的小丫头倒上茶来吃着。周瑞家的又问：『板儿倒长了这么大了！』又问些别后闲话，又问刘老老：『今日还是路过，还是特来的？』刘老老便说：『原是特来瞧瞧你嫂子，二则也请请姑太太的安。若可以领我见一见更好，若不能，便借重嫂子转致意罢了。』（得体。以退为进，欲进先言退，叫作预留地步。）

周瑞家的听了，便已猜着几分来意。只因他丈夫昔年争买田地一事，多得狗儿之力，今见刘老老如此，心中难却其意；二则也要显弄自己的体面。（人情是宝，人情是债。）便笑说：『老老你放心。大远的诚心诚意来了，岂有个不教你见个正佛去的？论理，人来客至，回话却不与我相干。我们这里都是各占一样儿：我们男的只管春秋

两季地租子，闲时带着小爷们出门就完了；我只管跟太太奶奶们出门的事。（捎带着吹吹家政的规模气象。）皆因你老是太太的亲戚，又拿我当个人，投奔了我来，我竟破个例与你通个信去。但只一件，老老有所不知，我们这里不比五年前了，如今太太不大理事，都是琏二奶奶当家了。你道这琏二奶奶是谁？就是太太内侄女儿，当日大舅老爷的女儿，小名凤哥的。』（一见刘老老便说得这样深，也是作者的有意安排吧。）刘老老听了，罕问道：『原来是他？怪道呢，我当日就说他不错的。这等说来，我今儿还得见了他。』周瑞家的道：『这个自然的，如今有客来，都是这凤姑娘周旋接待，今儿宁可不见太太，倒要见他一面，才不枉走这一遭儿。』（既是介绍权力格局，又是从旁、大、远处介绍凤姐。前面是一通买好，然后表示不费事，目的是为了让对方安心，是礼貌，却又小有虚伪。礼貌和真率常难得兼。）刘老老道：『阿弥陀佛！这全仗嫂子方便了。』周瑞家的说：『老老说那里话来？俗语说的：「与人方便，自己方便。」不过用我一句话儿，那里费了我什么事。』说着，便唤小丫头到倒厅上悄悄的打听老太太屋里摆了饭没有，小丫头去了。

这里二人又说了些闲话。刘老老因说：『这位凤姑娘，今年不过二十岁罢了，就这等有本事，当这样的家，可是难得的。』周瑞家的听了道：『嗐！我的老老，告诉不得你呢。这位凤姑娘年纪虽小，行事却比是人都大呢。如今出挑得美人一般的模样儿，少说些有一万个心眼子，再要赌口齿，十个会说的男人也说不过他呢。回来你见了就知道了。就只一件，待下人未免严了些。』（心眼与口齿，人的法宝。能干未免严，宽厚被识为无能。）说着，小丫头回来说：『老太太屋里已摆完了饭，二奶奶在太太屋里呢。』周瑞家的听了，连忙起身催着刘老老：『快走，这一下来他吃饭是空儿，咱们先等着去了。若迟一步，回事的人多了，就难说话。再歇了中觉，越发没了时候了。』（周瑞家的如此尽心，稀罕。）

说着，一齐下了炕，整顿衣服，又教了板儿几句话，随着周瑞家，逶迤往贾琏的住宅来。先至倒厅，周瑞家的将刘老老安插在那里略等一等，自己先过影壁，走进了院门，知凤姐未出来，先找着了凤姐的一个心腹通房大丫头名唤平儿的。（是步骤，是排场，也是一个重要人物的出现。）周瑞家的先将刘老老起初来历说明，又说：『今日大远的来请安，当日太太是常会的，今儿不可不见，所以我带了他进来等奶奶下来，我细细回明，谅奶奶也不责我莽撞的。』平儿听了，便作了个主意：『叫他们进来，先在这里坐着就是了。』周瑞家的方出去领了他们进来。上了正房台阶，小丫头打起猩红毡帘，才入堂屋，只闻一阵香扑了脸来，竟不辨是何气味，身子就似在云端里一般。满屋中之物都是耀眼争光，使人头晕目眩，刘老老此时点头咂嘴念佛而已。（陌生化的效果。主观镜头的效果。全知角度与人物视角并存，不拘，是大家风范。）于是引他到东边这间屋里，乃是贾琏的大女儿睡觉之所。平儿站在炕沿边，打量了刘老老两眼，只得问个好，让了坐。刘老老见平儿遍身绫罗，插金戴银，花容月貌，便当是凤姐儿了，才要称『姑奶奶』，只见周瑞家的说：『他是平姑娘。』又见平儿赶着周瑞家的叫他『周大娘』，方知不过是个有体面的丫头。于是让刘老老和板儿上了炕，平儿和周瑞家的对面坐在炕沿上，小丫头们倒了茶来吃了。

刘老老只听见咯当咯当的响声，大有似乎打箩柜筛面的一般，不免东瞧西望的，忽见堂屋中柱子上挂着一个匣子，底下又坠着一个秤砣般一物，却不住的乱晃，刘老老心中想着：『这是什么东西？有煞用处呢？』正呆时，陡听得『当』的一声，又若金钟铜磬一般，倒唬了一跳，（挂钟，来自西洋，引进的。初见挂钟印象，有趣亦可怜。）展眼，接着又是一连八九下，方欲问时，只见小丫头们一齐乱跑，说：『奶奶下来了。』平儿与周瑞家的忙起身说：『刘老老只管坐着，等是时候，我们来请你。』说着迎出去了。

刘老老只屏声侧耳默候，只听远远有人笑声，约有一二十个妇人，衣裙窸窣，渐入堂屋，往那边屋内去了。又见三两个妇人，都捧着大红漆捧盒，进这边来等候。听得那边说道『摆饭』，渐渐的人才散出去，只有伺候端菜的几人。半日鸦雀不闻。（啧啧！）忽见两个人抬了一张炕桌来，放在这边炕上，桌上碗盘摆列，仍是满满的鱼肉在内，不过略动了几样。板儿一见了便吵着要肉吃，刘老老一巴掌打了开去。忽见周瑞家的笑嘻嘻走过来，招手儿叫他，刘老老会意，于是带着板儿下炕，至堂屋中，周瑞家的又和他咕唧了一会，方蹭到这边屋内。

只见门外铜钩上悬着大红洒花软帘，南窗下是炕，炕上大红条毡，靠东边板壁立着一个锁子锦靠背与一个引枕，铺着金心线闪缎大坐褥，傍边有银唾盒。那凤姐家常带着紫貂昭君套，围着那攒珠勒子，穿着桃红洒花袄，石青刻丝灰鼠披风，大红洋绉银鼠皮裙，粉光脂艳，端端正正坐在那里，手内拿着小铜火箸儿拨手炉内的灰。（凤姐的出场，足足地表现了两次，一次是黛玉初见，一次是老老首逢。这样笔酣墨畅地写，反映了作者对这个人物的无比敬畏与倾服。）平儿站在炕沿边，捧着小小的一个填漆茶盘，盘内一个小盖钟。凤姐也不接茶，也不抬头，只管拨手炉的灰，慢慢的道：『怎么还不请进来？』一面说，一面抬身要茶时，只见周瑞家的已带了两个人立在面前了，这才忙欲起身，犹未起身，满面春风的问好，又嗔周瑞家的：『怎么不早说！』刘老老已是在地下拜了数拜，问姑奶奶安。凤姐忙说：『周姐姐，搀着不拜罢。我年轻，不大认得，可也不知是什么辈数，不敢称呼。』（多么有身份！多么自我感觉良好！换个旁人，装也装不像，演也演不出来的。这是极高明的表演，有意识的表演。有时毫不做作的流露，最好的技巧是无技巧，最好的表演是无表演。）

周瑞家的忙回道：『这就是我才回的那个老老了。』凤姐点头，刘老老已在炕沿上坐下了。板儿便躲在他背后，百般的哄他出来作揖，他死也不肯。（板儿的『怵窝子』反衬了这里的大气。）

凤姐笑道：『亲戚们不大走动，都疏远了。知道的呢，说你们弃嫌我们，不肯常来；不知道的那起小人，还只当我们眼里没有人似的。』（一切言谈、动作、道理、姿态属于王熙凤，您占得也太全了！）刘老老忙念佛道：『我们家道艰难，走不起，来了这里，没的给姑奶奶打嘴，就是管家爷们看着也不像。』凤姐笑道：『这话没的教人恶心，不过借赖着祖父虚名，作个穷官儿罢了，谁家有什么？不过是个旧日的空架子。俗语说，「朝廷还有三门子穷亲」呢，何况你我。』（谦虚也是骄傲与自信的另一种方式。越是大人物越不怕将自身往小里说。）说着，又问周瑞家的：『回了太太了没有？』周瑞家的道：『如今等奶奶的示下。』凤姐儿道：『你去瞧瞧，要是有人有事就罢，得闲呢就回，看怎么说。』周瑞家的答应去了。

这里凤姐叫人抓些果子与板儿吃，刚问了几句闲话时，就有家下许多媳妇儿管事的来回话。平儿回了，凤姐道：『我这里陪客呢，晚上再来回。若有要紧的事，你就带进现办。』平儿出去，一会进来说：『我问了，没什么紧事，我就叫他们散了。』（平儿已能做主。）凤姐点头。只见周瑞家的回来，向凤姐道：『太太说了：今日不得闲，二奶奶陪着便一样的，多谢费心想着。白来逛逛呢便罢，若有甚说的，只管告诉二奶奶，都是一样。』刘老老道：『也没甚的说，不过是来瞧瞧姑太太姑奶奶，也是亲戚们情分。』周瑞家的说道：『没有甚说的便罢，若有话，只管回二奶奶，是和太太一样的。』一面说，一面递眼色与刘老老。（搭桥是必要的。）

刘老老会意，未语先飞红的脸，欲待不说，今日又所为何来？只得忍耻道：『论理今日初次见姑奶奶，却不该说的，只是大远的奔了你老这里来，少不得说了……』刚说到这里，只听二门上小厮们回说：『东府里小大爷进来了。』凤姐忙止道：『刘老老不必说了。』（不说就满足，廉价了。说完，俗透了，恶心了。让你飞红了脸，忍耻先说了，又不让你说完，不让你失望，这才是会施恩的。廉价的应允与『直露满』以后的应允都不漂亮，也不能给求帮者留下深刻印象。）一面便问：『你蓉大爷在那里呢？』只听一路靴子脚响，进来了一个十七八岁的少年，面目清秀，身材夭娇，轻裘宝带，美服华冠。刘老老此时坐不是，立不是，藏没处藏。凤姐笑道：『你只管坐着，这是我侄儿。』刘老老方扭扭捏捏在炕沿上坐了。

贾蓉笑道：『我父亲打发我来求婶子，说上回老舅太太给婶子的那架玻璃炕屏，明日请一个要紧的客，借去略摆一摆就送过来的。』（又一个俗。生活不能单一。）凤姐道：『迟了一日，昨儿已给了人了。』贾蓉听说，便嘻嘻的笑着在炕沿子上下个半跪道：『婶子若不借，我父亲又说我不会说话了，又挨了一顿好打呢。婶子，只当可怜侄儿罢。』（赖皮而又自信。）凤姐笑道：『也没见我们王家的东西都是好的？你们那里也放着那些好东西，只看不见我的东西才罢，一见了就要想拿去。』贾蓉笑道：『只求开恩罢。』凤姐道：『碰坏一点，你可仔细你的皮！』因命平儿拿了楼门上钥匙，传几个妥当人来抬去。贾蓉喜的眉开眼笑，忙说：『我亲自带了人拿去，别由他们乱碰。』说着便起身出去了。

这凤姐忽又想起一事来，便向窗外叫：『蓉儿回来。』外面几个人接声说：『请蓉大爷快回来。』贾蓉忙转

回来，垂手侍立，听何指示。那凤姐只管慢慢地吃茶，出了半日神，方笑道：『罢了，你且去罢。晚饭后你来再说罢。这会子有人，我也没精神了。』（留下空白。写表面现象，令读者猜测其潜台词。）贾蓉方慢慢退去。

这刘老老身心方安，便说道：『我今日带了你侄儿，不为别的，只因他爹娘在家里连吃的也没有，天气又冷了，只得带了你侄儿奔了你老来。』说着，又推板儿道：『你爹在家里怎么教你的？打发咱们来作煞事的？只顾吃果子呢。』凤姐早已明白了，听他不会说话，因笑止道：『不必说了，我知道了。』因问周瑞家的道：『这老老不知可用了早饭没有呢？』刘老老忙道：『一早就往这里赶咧，那里还有吃饭的工夫咧。』凤姐忙命：『快传饭来。』

一时周瑞家的传了一桌客馔来，摆在东边屋里，过来带了刘老老和板儿过去吃饭，凤姐说道：『周姐姐好生让着些儿，我不能陪了。』于是过东边屋里来，凤姐又叫过周瑞家的去道：『方才回了太太，说了些什么？』周瑞家的道：『太太说：他们原不是一家，是当年他们的祖与老太爷在一处做官，因连了宗的。这几年不大走动。当时他们来了，却也从没空过的；今来瞧瞧我们，也是他的好意，不可简慢了他。便有什么话说，叫二奶奶裁夺着就是了。』凤姐听了说道：『怪道，既是一家子，我如何连影儿也不知道。』（不知道却又待得这样好，难得。）

说话间，刘老老已吃完了饭，拉了板儿过来，舔唇咂嘴的道谢。凤姐笑道：『且请坐下，听我告诉你老人家，方才的意思，我已经知道了。论亲戚之间，原该不待上门来就有照应才是；但如今家中事情太多，太太上了年纪，一时想不到是有的。况我接着管事，都不大知道这些亲戚们，一则外面看着，虽是烈烈轰轰，不知大有大的难处，说与人也未必信呢。（大有大的难处，五十年代后期与六十年代，我们常引用这句话分析超级大国的不足惧。宇宙的统一性表现为物

质的统一性也表现为事体情理的统一性。）今你既大远的来了，又是头一次儿向我张口，怎好教你空手回去。可巧昨儿太太给我的丫头们作衣裳的二十两银子，还没动呢，你不嫌少，且先拿了去用罢。』（能听凤姐讲这么多话，也是面子！）

那刘老老先听见告艰苦，只当是没想头了，又听见给他二十两银子，喜得眉开眼笑道：『我们也知艰难的，但只俗语道：「瘦死的骆驼比马还大些。」凭他怎样，你老拔一根寒毛比我们的腰还壮哩！』周瑞家的在旁听见他说的粗鄙，（粗鄙也罢，奉承起来仍令人不十分反感。只要决心奉承，不分粗细，成功率不会太低。）只管使眼色止他。凤姐笑而不睬，（笑而不睬，是居高临下之态。）叫平儿把昨日那包银子拿来，再拿一串钱来，都送至刘老老跟前。凤姐道：『这是二十两银子，暂且给这孩子们作件冬衣罢。改日无事，只管来逛逛，方是亲戚们的意思。天也晚了，不虚留你们了，到家该问好的都问个好儿。』一面说，一面就站了起来了。

刘老老只是千恩万谢的，拿了银钱，随周瑞家的走至外厢。周瑞家的道：『我的娘！你怎么见了他倒不会说了？（这埋怨也很亲切，套近乎。）开口就是「你侄儿」；我说句不怕你恼的话，便是亲侄儿也要说和软些。那蓉大爷才是他的侄儿呢，他怎么又跑出这样侄儿来了。』刘老老笑道：『我的嫂子！我见了他，心眼儿爱还爱不过来，那里还说上话儿来。』（这也是爱——love？）二人说着，又至周瑞家坐了片刻，刘老老要留下一块银与周家的孩子们买果子吃，周瑞家的如何放在眼里，执意不肯，刘老老感谢不尽，仍从后门去了。

刘老老进大观园，如有神人助，到处绿灯。本来可以想象，侯门似海，刘老老能见熙凤就够难以相信的了，况及其他；完全吃闭门羹也是可能或更为可能的。金克木教授就对于刘老老三进大观园的真实可信性提出怀疑。窃以为，这就是小说了。小说的真实毕

竟不全同于生活的真实，小说的真实往往是生活的可能性或然性与作家创作的必要性——为完成主题或人物或场面或情节或调剂或游戏笔墨服务——的契合。作为小说观之，这一段有趣可读有参差，至少也没有变成令人反感，这就行了。

未知刘老老去后如何，且听下回分解。

硬要写写刘老老，一换口味，二比衬贾府之富贵尊荣，三说明贾府的人也干过好事，四与后来的巧姐情节有关，五不离劝人惜老怜贫之旨

第七回　送宫花贾琏戏熙凤　宴宁府宝玉会秦钟

贾琏戏熙凤，入回目，有迹象，避其内容，这是可以理解的，毕竟是与熙凤，下笔需礼貌些，不比多姑娘、鲍二家的，可以游戏笔墨，写其『下流』。会秦钟亦入回目。这两件事又有多大意义呢？

话说周瑞家的送了刘老老去后，便上来回王夫人话，谁知王夫人不在上房，问丫鬟们，方知往薛姨妈那边闲话去了。周瑞家的听说，便出东角门，至东院，往梨香院来。刚至院门前，只见王夫人的丫鬟金钏儿和那一个才留了头的小女孩儿站在台矶上玩。见周瑞家的来了，便知有话来回，因向内努嘴儿。

周瑞家的轻轻掀帘进去，只见王夫人和薛姨妈长篇大套的说些家务人情等话，周瑞家的不敢惊动，遂进里间来，只见薛宝钗家常打扮，头上只挽着纂儿，坐在炕里边，伏在小炕几上同丫鬟莺儿正描花样子呢。见他进里来，宝钗便放下笔，转身来，满面堆笑让：（安分守己。堆笑与陪笑，互相尊重总是可喜。）『周姐姐坐。』周瑞家的也忙陪笑问道：

『姑娘好？』一面炕沿边坐了，因说：『这有两三天也没见姑娘到那边逛逛去，只怕是你宝兄弟冲撞了你不成？』宝钗笑道：『那里的话！（虽然『那里的话』，周瑞家的问得事出有因。）只因我那种病又发了两天，所以且静养两日。』周瑞家的道：『正是呢，姑娘到底有什么病根儿？也该趁早请个大夫认真医治。小小的年纪，倒作下个病根，也不是玩的。』宝钗听说笑道：『再不要提起，为这病根，也不知请了多少大夫，吃了多少药，花了多少钱钞，总不见一点效验。后来还亏了一个秃头和尚，（又是和尚，超验的力量。）专治无名之病，因请他看了，他说我这是从胎里带来的一股热毒，（胎里的热毒，论理是人皆有之。）幸而我先天结壮，还不相干；若吃凡药，是不中用的。他就说了一个海上方，又给了一包末药作引，异香异气的。他说发了时吃一丸就好。倒也奇怪，这倒效验些。』

周瑞家的因问道：『不知是什么海上方？姑娘说了，我们也好记着，说与人知道；倘遇见这样的病，也是行好的事。』宝钗笑道：『不问这方儿还好，若问这方，真真把人琐碎坏了。东西药料一概却都有限，易得的，只难得「可巧」二字：要春天开的白牡丹花蕊十二两，夏天开的白荷花蕊十二两，秋天的白芙蓉蕊十二两，冬天的白梅花蕊十二两。（花粉素，今天也是肯定的。）将这四样花蕊于次年春分这日晒干，和在末药一处，一齐研好；又要雨水这日的天落水十二钱，……』周瑞家的忙笑道：『嗳哟！这样说来这就得三年的工夫！倘或雨水这日不下雨，可又怎处呢？』宝钗笑道：『所以了，那里有这样可巧的雨？也只好再等罢了。还要白露这日的露水十二钱，霜降这日的霜十二钱，小雪这日的雪十二钱。（对节气（历法）的敬畏来自天象崇拜。）把这四样水调匀，和了龙眼大的丸子，盛在旧磁坛里，埋在花根底下，若发了病时，拿出来吃一丸，用十二分黄柏煎汤送下。』（宝钗与周瑞家的如此详谈自己的病（以今日眼光，病也是隐私），莫非也说明她的公关意识、选票意识？）

周瑞家的听了，笑道：『阿弥陀佛！真巧死了人。等十年都未必这样巧呢。』宝钗道：『竟好。自他说了去后，一二年间，可巧都得了，好容易配成一料，如今从南带至北，现埋在梨花树下。』周瑞家的又道：『这药本有名儿没有呢？』宝钗道：『有。这也是那癞和尚说下的，叫作「冷香丸」。』（胎里的热毒与冷香丸，虽不甚了了，但流露出一种中国式的宿命观，生辰八字、性格、家境、遭际……之间有一种互证的关系。）周瑞家的听了点头儿，因又说：『这病发了时，到底觉怎样？』宝钗道：『也不觉什么，不过只喘嗽些，吃一丸也就罢了。』（这一段关于冷香丸的『海上奇谭的内涵令人把握不住。如此的奇巧蹊跷到底透露了什么信息呢？巧得有些造作了。病本身却又轻描淡写。都说『红』的谜多，宝钗的病药也是一个谜。）

周瑞家的还要说话时，忽听王夫人问道：『谁在里头？』周瑞家的忙出去答应了，便回了刘老老之事，略待半刻，见王夫人无话，方欲退出去，薛姨妈忽又笑道：『你且站住。我有一种东西，你带了去罢。』说着便叫：『香菱。』帘栊响处，才和金钏儿玩的那个小丫头进来了，问：『奶奶叫我做什么？』薛姨妈道：『把那匣子里的花儿拿来。』香菱答应了，向那边捧了个小锦匣儿来。薛姨妈道：『这是宫里头作的新鲜花样儿堆纱花，十二枝。昨儿我想起来，白放着可惜旧了，何不给他们姊妹们戴去。昨儿要送去，偏又忘了；你今儿来得巧，就带了去罢。你家的三位姑娘，每位二枝，下剩六枝，送林姑娘二枝，那四枝给凤姐儿罢。』王夫人道：『留着给宝丫头戴也罢了，又想着他们。』薛姨妈道：『姨妈不知，宝丫头古怪呢，他从来不爱这些花儿粉儿的。』（抱朴守冲。）

说着，周瑞家的拿了匣子，走出房门，见金钏儿仍在那里晒日阳，周瑞家的因问他道：『那香菱小丫头子，可就是时常说的，临上京时买的，为他打人命官司的那个小丫头子？』金钏儿道：『可不就是他。』正说着，只见香菱笑嘻嘻的走来，周瑞家的便拉了他的手细细的看了一回，因向金钏儿笑道：『这个模样儿，竟有些像咱们的东府里小蓉大奶奶的品格。』（评价甚高！）金钏儿笑道：『我也是这么说呢。』周瑞家的又问香菱：『你几岁投身到这里？』又问：『你父母今在何处？今年十几岁了？本处是那里人？』香菱听问，摇头说：『不记得了。』周瑞家的和金钏儿听了，倒反为叹息感伤一回。（香菱的地位重要，作者重视，但读者看不出多少名堂。不知这是否说明写得不成功或读得不仔细。）

一时周瑞家的携花至王夫人正房后。原来近日贾母说孙女们太多，一处挤着倒不便，只留宝玉、黛玉二人在这边解闷，（殊宠。这时黛有特殊地位。）却将迎春、探春、惜春三人移到王夫人这边房后三间抱厦内居住，令李纨陪伴照管。如今周瑞家的故顺路先往这里来，只见几个小丫头儿都在抱厦内听呼唤，默坐。迎春丫鬟司棋与探春的丫鬟侍书二人，正掀帘子出来，手里都捧着茶盘茶钟，周瑞家的便知他姊妹在一处坐着，也进入内房，只见迎春、探春二人正在窗下围棋。周瑞家的将花送上，说明原故，他二人忙住了棋，都欠身道谢，命丫鬟们收了。

周瑞家的答应了，因说：『四姑娘不在房里，只怕在老太太那边呢？』丫鬟们道：『在那屋里不是？』周瑞家的听了，便往这边屋里来。只见惜春正同水月庵的小姑子智能两个一处玩笑，见周瑞家的进来，惜春便问他何事。周瑞家的便将花匣打开，说明原故，惜春笑道：『我这里正和智能儿说，我明儿也剃了头同他作姑子去，可巧儿又送了花来，若剃了头，却把这花戴在那里？』（直奔主题。）说着，大家取笑一回，惜春命丫鬟入画来收了。

周瑞家的因问智能：『你是什么时候来的？你师父那秃歪剌那里去了？』智能道：『我们一早就来了。我师父见过太太，就往于老爷府里去了，叫我在这里等他呢。』周瑞家的又道：『十五的月例香供银子可得了没有？』智能道：『不知道。』惜春听了，便问周瑞家的：『如今各庙月例银子是谁管着？』周瑞家的道：『是余信管着。』惜春听了笑道：『这就是了。他师父一来，余信家的就赶上来，和他师父咕唧了半日，想就是为这事了。』

黛玉初进府的表现与现下的表现大相径庭。因是时间长了放松了自我控制，却也有当着心爱的人宝玉撒娇使性的因素。这一段以周瑞家的为核心组织情节，实际是从侧面反映了凤姐的生活的一部分。这也是由远及近，由表及里的写法。问及香菱，特别是问及智能的一些似是岔出去的话，增加了周瑞家的活动的实感——真实永远不是线索单纯的，也反映了凤姐的管理领域的宽泛。对女婿的事不以为意，奴仆尚且如此，况主子乎！

那周瑞家的又和智能儿唠叨了一回，便往凤姐处来，穿夹道，从李纨后窗下越过西花墙，出西角门，进入凤姐院中。走至堂屋，只见小丫头丰儿坐在凤姐的房门槛上，见周瑞家的来了，连忙摆手儿，叫他往东屋里去，周瑞家的会意，忙的蹑手蹑脚的往东边屋里来，只见奶子拍着大姐儿睡觉呢。周瑞家的悄问奶子：『姐儿睡中觉呢？也该请醒了。』奶子摇头儿。正问着，只听那边一阵笑声，却有贾琏的声音。（这是戏熙凤的暗写，虚写。）接着房门响处，平儿拿着大铜盆出来，叫丰儿舀水进去。

平儿便进这边来，一见了周瑞家的，便问：『你老人家又来作什么？』周瑞家的忙起身拿匣子给他说：『送花来。』平儿听了，便打开匣子，拿了四枝，转身去了；半刻工夫，手里拿出两枝来，先叫彩明来，吩咐他：『送到那边府里，给小蓉大奶奶戴。』次后方命周瑞家的回去道谢。（关系网。关系里套着关系。）

周瑞家的这才往贾母这边来，过了穿堂，顶头忽见他的女儿，打扮着才从他婆家来。周瑞家的忙问：『你这会子跑来作什么？』他女孩儿说：『妈一向身上好？我在家里等了这半日，妈竟不出去，什么事情这样忙的不回家？我等烦了，自己先到了老太太跟前请了安了，这会子请太太安去。妈还有什么不了的差事？手里是什么东西？』周瑞家的笑道：『嗳！今儿偏生来了个刘老老，我自己多事，为他跑了半日；这会子被姨太太看见了，叫送这几枝花儿与姑娘奶奶们，这会子还没送完呢。你这会子来，一定有什么事情的。』他女孩儿笑道：『你老人家倒会猜着！实对你老人家说：你女婿因前儿多吃了几杯酒，和人分争起来，不知怎的被人放了一把邪火，说他来历不明，告到衙门里，要递解还乡。（递解还乡，『红』已有之。奴仗主势，自古已然。）所以我来和你老人家商议商议，这个情分，求那一个可了事？』周瑞家的听了道：『我就知道的。这有什么大不了的！你且家去等我，我送这林姑娘的花儿去了，就回家来。此时太太二奶奶都不得闲儿，你回去等我，这有什么忙的？』他女孩儿听说，便回去了，还说：『妈，好歹快来。』周瑞家的道：『小人儿家没经过什么事的，就急得这样的。』（到底什么事，并不重要，文章在于周瑞家的如此沉稳有信心，有势力呀！）说着，便到黛玉房中去了。

谁知此时黛玉不在自己房里，却在宝玉房中，大家解九连环作戏。周瑞家的进来，笑道：『林姑娘，姨太太着我送花来与姑娘戴。』宝玉听说，便说：『什么花？拿来与我看。』一面便伸手接过来了，开匣看时，原来是两枝宫制堆纱新巧的假花，黛玉只就宝玉手中看了一看，便问道：『还是单送我一人，还是别的姑娘们都有的？』周瑞家的道：『各位都有了，这两枝是姑娘的了。』黛玉冷笑道：『我就知道，别人不挑剩下的也不给我。』（黛玉的态度与宝钗的满脸堆笑、长谈交流及迎春、探春的欠身道谢成为对比。）周瑞家的听了，一声儿不言语。宝玉问道：『周姐姐，你作什么到那边去了？』周瑞家的因说：『太太在那里，我回话去了，姨太太就顺便叫我带来的。』宝玉道：『宝姐姐在家里作什么呢？怎么这几日也不过来？』周瑞家的道：『身上不大好呢。』宝玉听了，便和丫头们说：『谁去瞧瞧，就说我和林姑娘打发来问姨娘姐姐安，问姐姐是什么病，吃什么药。论理，我该亲自来的，就说才从学里回来，也着了些凉，改日再亲来。』（有推托的意味。）说着，茜雪便答应去了。周瑞家的自去，无话。

原来周瑞家的女婿便是雨村的好友冷子兴，近日因卖古董，和人打官司，故叫女人来讨情分。（撒开去又拉回来，原来冷子兴又出来了。可谓舒卷如意。）周瑞家的仗着主子的势，把这些事也不放在心上，晚间只求求凤姐儿便完了。

至掌灯时，凤姐已卸了妆，来见王夫人，回说：『今儿甄家送来的东西，我已收了；咱们送他的，趁着他家有年下送鲜的船，交给他带了去了。』王夫人点点头。凤姐又道：『临安伯老太太生日的礼已经打点了，太太派谁送去？』王夫人道：『你瞧谁闲着，叫四个女人去就完了，又来问我。』凤姐又道：『今日珍大嫂子来请我明日去逛逛，明日有没有什么事？』王夫人道：『有事没事，都害不着什么。每常他来请，有我们，你自然不便；他既不请我们单请你，可知是他诚心叫你散淡散淡，（凤姐日理万机的管窥一斑。这里的『散淡』的用法也很别致。）别辜负了他的心，倒该过去走走才是。』（王夫人一概放心，一概体贴照顾。）凤姐答应了。当下李纨迎探等姊妹们亦各定省毕，各归房，无话。

次日凤姐梳洗了，先回王夫人毕，方来辞贾母。宝玉听了，也要逛去，凤姐只得答应着，立等换了衣裳，姐儿两个坐了车，一时进入宁府；早有贾珍之妻尤氏与贾蓉之妻秦氏，婆媳两个引了多少侍妾丫鬟等接出仪门。（有点像接待出访呢。）

那尤氏一见了凤姐，必先嘲笑一阵，一手携了宝玉，同入上房来归坐，秦氏献茶毕，凤姐便说：『你们请我来作什么？拿什么东西来孝敬，就献上来，我还有事呢。』（亲热、痛快。）尤氏秦氏未及答应，几个媳妇们先笑道：『二奶奶，今日不来就罢，既来了，就依不得二奶奶了。』正说着，只见贾蓉进来请安，宝玉因问：『大哥哥今日不在家么？』尤氏道：『今日出城请老爷爷安去了。』又道：『可是你怪闷的坐在这里，何不出去逛逛？』

秦氏笑道：『今日可巧，上回宝叔要见我兄弟，今儿也在这里，想在书房里，宝叔何不去瞧一瞧？』宝玉即下炕要走，尤氏便吩咐人：『小心跟着，别委曲着他，倒比不得跟着老太太过来就罢了。』凤姐道：『既这么着，何不请进这小爷来，我也见见，难道我是见不得他的？』尤氏笑道：『罢，罢！可以不必见他。比不得咱家的孩子们，胡打海摔跌惯了的。人家的孩子，都是斯斯文文惯了的，不像你这样泼辣货形象，倒要被你笑话死了呢。』凤姐笑道：『我不笑话就罢，竟叫快领去。』贾蓉道：『他生得腼腆，没见过大阵仗儿，婶子见了，没得生气。』凤姐啐道：『他是「哪吒」，我也要见一见。别放你娘的屁了。再不带来给你一顿好嘴巴子！』贾蓉笑道：『我不敢强，就带他来。』一会子，果然带了一个小后生来，较宝玉略瘦些，眉清目秀，粉面朱唇，身材俊俏，举止风流，似在宝玉之上；只是怯怯羞羞有女儿之态，腼腆含糊的向凤姐作揖问好，凤姐喜的先推宝玉笑道：『比下去了！』（出语惊人。何至于斯？）便探身一把携了这孩子的手，就命他身边坐下，慢慢问他年纪读书等事，方知他学名叫秦钟。（这一段似乎在表面的调笑下面另有文章。如果凤姐与可卿至亲至密，何至于见秦钟还要费唇舌？哪怕是调侃也罢。秦钟是不是另有身份背景呢？）

早有凤姐跟的丫鬟媳妇们，看见凤姐初见秦钟，并未备得表礼来，遂忙过那边去告诉平儿。平儿素知凤姐与秦氏厚密，遂自作主意，拿了一匹尺头，两个『状元及第』的小金锞子，交付来人送过去，凤姐还说太简薄些。（秦氏姊弟到底是什么金枝玉叶？这样的厚礼还嫌简薄。该不是凤姐的唯友谊论在起作用吧？她能在人际关系中不考虑等级因素么？）秦氏等谢毕，一时吃过了饭，尤氏、凤姐、秦氏等抹骨牌，不在话下。

宝玉秦钟二人随便起坐说话，那宝玉自一见秦钟人品，心中便有所失，痴了半日，自己心中又起了个呆意，乃自思道：『天下竟有这等的人物！如今看了，我竟成了泥猪癞狗了。可恨我为什么生在这侯门公府之家？若也生在寒儒薄宦之家，早得与他交接，也不枉生了一世。我虽比他尊贵，可知绫锦纱罗，也不过裹了我这枯株朽木；美酒羊羔，也只不过填了我这粪窟泥沟。「富贵」二字，不啻遭我荼毒了！』（宝玉的反应似嫌突兀。宝玉崇拜美，特别是女性美，见美而自惭形秽。同时宝玉也为『美男』而激动，这是有几分同性恋的心理的。）秦钟自见宝玉形容出众，举止不浮，更兼金冠绣服，艳婢娇童，——『果然怨不得人人溺爱他，可恨我偏生于清寒之家，那能与他交接，可知「贫富」二字限人，亦世界上大不快事。』（平等的要求，来自这样一个领域，颇别致。）二人一样的胡思乱想。宝玉又问他读什么书，秦钟见问，便依实而答。二人你言我语，十来句后，越觉亲密起来。（一见钟情，不限于异性之间。）

宝玉一见秦钟，居然想了这么多这么深，令读者甚至感到意外。可见：一、宝玉早有这些想法，秦钟一见，形成了一个自怨自叹腹中牢骚的契机；二、作者早想写宝玉的这些古怪念头，便利用了这一契机。人自身——非常明显地表现为容貌、体态、气质的价值淹没在出身门第境遇之中，固是可叹。因秦钟夭亡，宝玉秦钟关系也许对大的情节无深刻影响，但他们见面时的这些『活思想』，自当值得重视。在那时能这样写，也算可贵。）

一时摆上茶果吃茶，宝玉便说：『我们两个又不吃酒，把果子摆在里间小炕上，我们那里坐去，省得闹你们。』于是二人进里间来吃茶。秦氏一面张罗与凤姐摆果酒，一面忙进来嘱宝玉道：『宝叔，你侄儿年小，倘或言语不防头，你千万看着我，不要睬他。他虽腼腆，却性子左强，不大随和些是有的。』（『红』对秦氏的言行举止夸奖得虽不少，正面写得却不多。这一段的含义也待挖掘，因后面的发展完全看不出秦钟有什么性子『左』来。或可解释为表达她对宝玉的无微不至的，不一般的关切。）宝玉笑道：『你去罢，我知道了。』秦氏又嘱了他兄弟一回，方去陪凤姐。

一时凤姐尤氏又打发人来问宝玉：『要吃什么，外面有，只管要去。』宝玉只答应着，也无心在饮食间，只问秦钟近日家务等事。秦钟因言：『业师于去岁辞馆，家父年纪老了，残疾在身，公务繁冗，因此尚未议及延师，目下不过在家温习旧课而已。再读书一事，也必须有一二知己为伴，时常大家讨论，才能进益……』宝玉不待说完，便道：『正是呢，我们家却有个家塾，合族中有不能延师的便可入塾读书，亲戚子弟可以附读。（自然而然地过渡到下一个情节——与读书、书房、贾瑞有关的情节去了。）我因上年业师回家去了，也现荒废着。家父之意，亦欲暂送我去，且温习着旧书，待明年业师上来，再各自在家亦可。家祖母因说：一则家学里子弟太多，生恐大家淘气，反不好；二则也因我病了几天，遂暂且耽搁着。如此说来，尊翁如今也为此事悬心，今日回去，何不禀明，就在我们这敝塾中来，我也相伴，彼此有益，岂不是好事？』秦钟笑道：『家父前日在家提起延师一事，也曾提起这里的义学倒好，原来要和这里的亲翁商议引荐，因这里又有事忙，不便为这点小事来聒絮的。宝叔果然度小侄或可磨墨涤砚，何不速速的作成，彼此不致荒废，又可以常相谈聚，又可以慰父母之心，又可以得朋友之乐，岂不美事？』宝玉道：『放心，放心。咱们回来先告诉你姐夫姐姐和琏二嫂子，今日你回家就禀明令尊，我回去禀明了祖母，再无不速成之理。』（宝玉很少务实，这件事上『抓』得如此具体，可见他也不是没有组织能力。他缺少的是动力而不是能力。）二人计议已定，那天气已是掌灯时分，出来又看他们玩了一回牌，算账时，却又是秦氏尤氏二人输了戏酒的东道，言定后日吃这东道，一面又吃了晚饭。（不是吃就是玩。寄生虫们的生活亦殊单调。）

因天黑了，尤氏说：『派两个小子送了秦相公家去。』媳妇们传出去半日，秦钟告辞起身，尤氏问：『派谁送去？』媳妇们回说：『外头派了焦大，谁知焦大醉了，又骂呢。』（为后面焦大的炮轰作铺垫。）尤氏秦氏都道：『偏又派他作什么？那个小子派不得？偏又惹他。』凤姐道：『成日家说，你太软弱了，纵得家里人这样，还了得呢！』（与此前周瑞家的说凤姐『严』相呼应。）尤氏道：『你难道不知这焦大的？连老爷都不理他，你珍大哥哥也不理他。因他从小儿跟着太爷出过三四回兵，从死人堆里把太爷背了出来，得了命；自己挨着饿，却偷了东西给主子吃；两日没水，得了半碗水，给主子吃，他自己喝马溺。不过仗着这些功劳情分，有祖宗时，都另眼相待，如今谁肯难为他？（也是一种重要的类型，忠仆功臣，对主子恨铁不成钢，有用却又讨嫌。）他自己又老了，又不顾体面，一味的好酒，喝醉了无人不骂。我常说给管事的，以后不要派他差使，只当他是个死的就完了。今儿又派了他。』凤姐道：『我何曾不知这焦大？到底是你们没主意，何不远远的打发他到庄子上去就完了。』（调开，也是办法。『红』已有之。）说着，因问：『我们的车可齐备了？』众媳妇们说：『伺候齐了。』凤姐也起身告辞，和宝玉携手同行。

尤氏等送至大厅口，见灯火辉煌，众小厮都在丹墀侍立。那焦大又恃贾珍不在家，因趁着酒兴，先骂大总管赖二，说他：『不公道，欺软怕硬，有好差使派了别人；这样黑更半夜送人，就派我，没良心的忘八羔子！瞎充管家！你也不想想焦大太爷跷起一只腿，比你的头还高些。二十年头里的焦大太爷眼里有谁？别说你们这一把子的杂种们！』

正骂得兴头上，贾蓉送凤姐的车出来，众人喝他不住，贾蓉忍不得便骂了几句，叫人：『捆起来！等明日酒醒了，问他还寻死不寻死！』那焦大那里有贾蓉在眼里？反大叫起来，赶着贾蓉叫：『蓉哥儿，你别在焦大跟前使主子性儿。别说你这样儿的，就是你爹、你爷爷，也不敢和焦大挺腰子呢！不是焦大一个人，你们做官儿，享荣华，受富贵？你祖宗九死一生挣下这个家业，到如今不报我的恩，反和我充起主子来了。不和我说别的还可，再说别的，咱们白刀子进去，红刀子出来！』凤姐在车上说与贾蓉：『还不早些打发了没王法的东西！留在家里，岂不是害？亲友知道，岂非笑话咱们这样的人家，连个规矩都没有。』贾蓉答应『是了』。

众人见他太撒野，只得上来了几个，揪翻捆倒，拖往马圈里去。焦大益发连贾珍都说出来，乱嚷乱叫，说：『要往祠堂里哭太爷去，那里承望到如今生下这些畜生来！每日偷狗戏鸡，爬灰的爬灰，养小叔的养小叔子，我什么不知道？咱们「胳膊折了往袖子里藏」！』众小厮见他说出来的话有天没日的，唬得魂飞魄丧，便把他捆起来，用土和马粪满满的填了他一嘴。（居功自傲，正气凛然，一针见血，无私无畏。从大的方面看，他代表的是当时应肯定表彰的忠义的一方面，但仍逃不脱嘴灌马粪的下场。没有被割声带，算是便宜了他。）

凤姐和贾蓉也遥遥听得，都装作听不见。宝玉在车上听见，因问凤姐道：『姐姐，你听他说「爬灰的爬灰」，是什么？』凤姐连忙喝道：『少胡说！那是醉汉嘴里胡唚，你是什么样的人，不说没听见，还倒细问！等我回了太太，仔细捶你不捶你！』（欲盖弥彰。）吓得宝玉连忙央告：『好姐姐，我再不敢说这些话了。』凤姐哄他道：『好兄弟，这才是。等回去咱们回了老太太，打发人家学里说明了，请了秦钟家学里念书去要紧。』说着自回荣府而来。（宁府之行，给人以『烂透了』之感。）要知端详，且听下回分解。

这一回通过写并不怎么连贯的日常生活、日常起居诸事来渐渐靠拢矛盾。写长篇，读长篇，委实需要耐性。

戏熙凤只说了端一盆水。送宫花是黛玉挑刺，周瑞家的一再无话。没事去宁府，宝玉还要跟上，他们似乎闲得发慌。见个秦钟也写了一大堆没要紧的话。似乎是风起青萍之末。似乎是小船儿在静水中打旋。似乎是夏天正午的杨树，树叶似动非动。似乎是于无声处，远闻惊雷。

第八回 贾宝玉奇缘识金锁 薛宝钗巧合认通灵

话说宝玉和凤姐回家，见过众人，宝玉便回明贾母要秦钟上家塾之事，自己也有个伴读的朋友，正好发愤；

又着实称赞秦钟的人品行事，最使人怜爱。（第七回的袅袅余音。）凤姐又在一旁帮着说：『改日秦钟还来拜老祖宗哩。』说得贾母喜悦起来。凤姐又趁势请贾母后日过去看戏。贾母虽年高，却极有兴头。至后日，尤氏来请，遂携了王夫人、林黛玉、宝玉等过去看戏。至晌午，贾母便回来歇息了。王夫人本是好清净的，（王夫人是好清净的，那么凤姐呢？该是好热闹的吧。这也是话里有话。）见贾母回来，也就回来了。然后凤姐坐了首席，尽欢至晚而罢。

却说宝玉送贾母回来，待贾母歇了中觉，竟欲还去看戏，又恐搅的秦氏等人不便，因想起宝钗近日在家养病，未去亲候，意欲去望他。（都有偶然性、随意性。公子哥儿就更随意。）若从上房后角门过去，又恐遇见别事缠绕，又恐遇他父亲，更为不妥，宁可绕远路而去。当下众嬷嬷丫鬟伺候他换衣服，见不换，仍出二门去了，众嬷嬷丫鬟只得跟随出来，还只当他去那边府中看戏。谁知到了穿堂，便向东向北绕厅后而去。（甚至在自己府中，甚至优宠有加的贾宝玉，也有享有隐私权的必要。）偏顶头遇见了门下清客相公詹光、单聘仁二人走来，一见了宝玉，便都赶上来笑着，一个抱住腰，一个携着手，都道：『我的菩萨哥儿，我说做了好梦呢，好容易遇见了你。』说着，请了安，又问好，又唠叨了半日，才走开。（在一个极不平等的等级社会里，位卑者见到尊贵者，感到怎样地激动、幸福！）老嬷嬷叫住，因问：『你二位爷是往老爷跟前来的不是？』他二人点头道：『老爷在梦坡斋小书房里歇中觉呢，不妨事的。』一面说，一面走了。

说的宝玉也笑了，于是转弯向北奔梨香院来。可巧银库房的总领名唤吴新登与仓上的头目名戴良，还有几个管事的头目，共七个人，从账房里出来，一见宝玉，赶来都一齐垂手站立，（顺手写到一些管理机构与管理人员，略见端倪。堪称（可以想象）其巨大与繁复。）独有一个买办，名唤钱华，因他多日未见宝玉，忙上来打千儿请宝玉的安，宝玉忙含笑拉他起来。众人都笑说：『前儿在一处看见二爷写的斗方儿，字法越发好了，多早晚赏我们几张贴贴。』（字以人贵，自古已然。）宝玉笑道：『在那处看见了？』众人道：『好几处都有，都称赞的了不得，还和我们寻呢。』宝玉笑道：『不值什么，你们说给我的小么儿们就是了。』（宝玉亦不是不讲应酬。）一面说，一面前走，众人待他过去，方都各自散了。

闲言少述，（『闲言少述』云云，有『说话人』的口吻，是中式的『旁白』，也保持了审美距离。）且说宝玉来至梨香院中，先入薛姨妈屋中来，见薛姨妈打点针黹与丫鬟们呢。宝玉忙请了安，薛姨妈一把拉住了他，抱入怀中笑说：『这么冷天，我的儿！难为你想着来，快上炕来坐着罢。』命人倒滚滚的茶来。宝玉因问：『哥哥不在家？』薛姨妈叹道：『他是没笼头的马，天天逛不了，那里肯在家一日？』宝玉道：『姐姐可大安了？』薛姨妈道：『可是呢，你前儿又想着打发人来瞧他。他在里间不是，你去瞧。他那里比这里暖和，你那里坐着，我收拾收拾就进来和你说话儿。』

嘲通灵宝玉的诗尚有看头。突出荒唐感。又突出了『运败』和『时乖』。生命本身的先验的悲哀与社会世道的可悲共存。否定此岸的『臭皮囊』云云，可以解释为消极颓废的虚无主义，也可以解释为嗟叹乃至愤激的过甚其词。

宝玉听了，忙下炕来至里间门前，只见吊着半旧的红绸软帘。宝玉掀帘一步进去，先就看见宝钗坐在炕上作针线，（用宝玉的眼光，认真写一下宝钗形象。不是描花样子就是作针线，真贤良淑女也。）头上挽着黑漆油光的纂儿，蜜合色的棉袄，玫瑰紫二色金银鼠比肩褂，葱黄绫子棉裙，一色儿半新不旧，看去不觉奢华。（大家闺秀，不必奢华。）唇不点而红，眉不画而翠，脸若银盆，眼如水杏。罕言寡语，人谓装愚；安分随时，自云『守拙』。（罕言种种，又不是宝玉视角，而是作者全能叙述了。『装』不算好听。『守』，则极佳。小小年纪，修炼得如此心性。）

宝玉一面看，一面问：『姐姐可大愈了？』宝钗抬头只见宝玉进来，连忙起身含笑答道：『已经大好了，多谢记挂着。』说着，让他在炕沿上坐了，即令莺儿倒茶来，一面又问老太太姨娘安，又问别的姊妹们好；一面看宝玉头上戴着累丝嵌宝紫金冠，额上勒着二龙捧珠金抹额，身上穿着秋香色立蟒白狐腋箭袖，系着五色蝴蝶鸾绦，项上挂着长命锁、记名符，另外有那一块落草时衔下来的宝玉。（再用宝钗的眼光写宝玉。两人互相注视了吧？）宝钗因笑说道：『成日家说你的这玉，究竟未曾细细的赏鉴，我今儿倒要瞧瞧。』（宝钗主动要玉瞧，主动表示对宝玉——物及宝玉——人的兴趣。第三回，则是写宝玉主动问黛玉：『可有玉没有？』然后为黛玉话而发痴。小的情节多了，又不是紧密的因果关系——像其他传统小说那样，便别具一种映照与征兆关系。）说着便挪近前来。宝玉亦凑上去，从项上摘了下来，递在宝钗手内。宝钗托在掌上，只见大如雀卵，灿若明霞，莹润如酥，五色花纹缠护。看官们须知道，这就是大荒山中青埂峰下的那块顽石幻相，后人曾有诗嘲云：

女娲炼石已荒唐，又向荒唐演大荒。
失去幽灵真境界，幻来新就臭皮囊。
好知运败金无彩，堪叹时乖玉不光。
白骨如山忘姓氏，无非公子与红妆。（莫忘大荒，敢忘大荒？从大荒来，到大荒去，哀哉宝玉，哀哉众生！）

那顽石亦曾记下他这幻相并癞僧所镌的篆文，今亦按图画于后，但其真体最小，方从胎中小儿口中衔下。今若按其体画，恐字迹过于微细，使观者大废眼光，亦非畅事。故按其形式，无非略展放些，使观者便于灯下醉中可阅。今注明此故，方不至以胎中之儿口有多大，怎得衔此狼犺蠢大之物为诮。

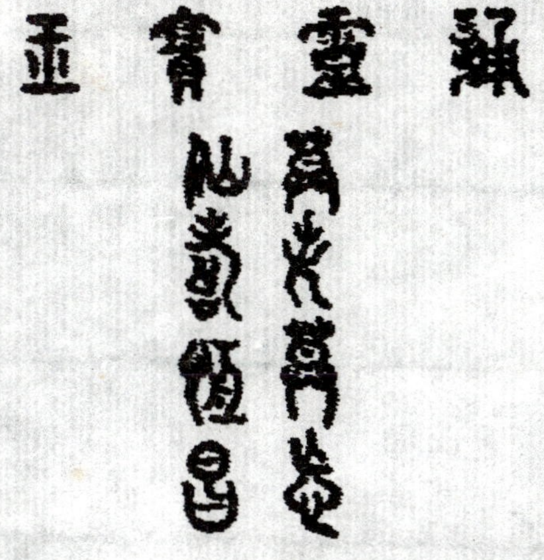

通灵宝玉正面

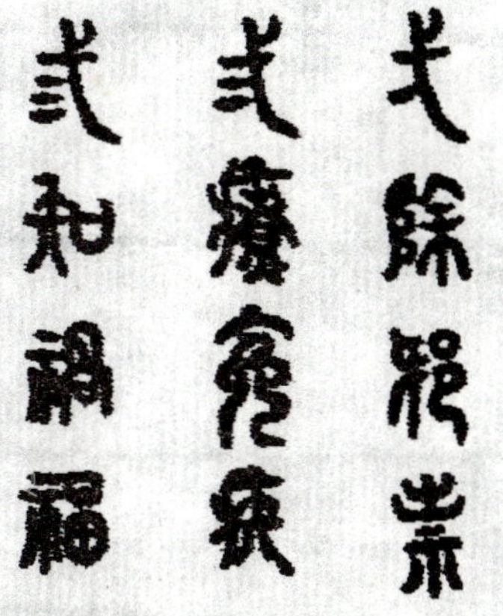

通灵宝玉反面

（《红楼梦》的妙处在于留下许多谜语，令你读了似懂非懂。宝玉与宝钗的关系，玉与金锁的关系的先验性或半先验性——因锁并非从娘肚子中带出来的便是最值得研究考据的。这里有宿命观、爱情观、符号观……诸多命题。）

宝钗看毕，又从先翻过正面来细看，口里念道：『莫失莫忘，仙寿恒昌。』念了两遍，乃回头向莺儿笑道：『你不去倒茶，也在这里发呆作什么？』莺儿嘻嘻的笑道：『我听这两句话，倒像和姑娘项圈上的两句话是一对儿。』

宝玉听了，忙笑道：『原来姐姐那项圈上也有八个字？我也赏鉴赏鉴。』（越发认真地荒唐起来了。没有认真，如何成全得了荒唐呢？什么叫小说？小说就是若有其事，煞有介事。）宝钗道：『你别听他的话，没有什么字。』宝玉央道：『好姐姐，你怎么瞧我的呢！』宝钗被他缠不过，因说道：『也是个人给了两句吉利话儿，錾上了，所以天天带着；不然沉甸甸的，有什么趣儿？』（宝玉的『话』是天生的，宝钗的『两句吉利话』，则是『人给的』。是『一对』吗？终不甚平衡。）一面说，一面解了排扣，从里面大红袄上将那珠宝晶莹、黄金灿烂的璎珞摘将出来。宝玉忙托着锁看时，果然一面有四个字，两面八个字，共成两句吉谶。——亦曾按式画下形相：

金锁正面

金锁反面

宝玉看了，也念了两遍，又念自己的两遍，因笑问：『姐姐，这八个字倒与我的是一对儿。』莺儿笑道：『是个癞头和尚送的，他说必须錾在金器上……』（怎么这么巧？是命运的巧？是作家的巧？打从宝钗向周瑞家的介绍自己的常备药物冷香丸时便如此强调了『可巧』二字。抑是贬钗论者猜测的宝钗自己的巧安排？似不至于。如是宝钗、莺儿一起用『托』做伪，还有什么『停机德』或『咏絮才』？）宝钗不待他说完，便嗔他不去倒茶，一面又问宝玉从那里来。

宝玉此时与宝钗就近，只闻一阵阵的香气，不知是何气味，遂问：『姐姐熏的是何香？我竟从未闻过这味儿。』宝钗笑道：『我最怕熏香，好好的衣服，熏的烟火气的？』宝玉道：『既如此，是什么香？』宝钗想了一想，说：『是了，是我早起吃了冷香丸的香气。』宝玉笑道：『什么「冷香丸」，这么好闻？好姐姐，给我一丸尝尝。』（也是万物皆备于我。）宝钗笑道：『又混闹了，一个丸药也是混吃的？』

一语未了，忽听外面人说：『林姑娘来了。』话犹未了，林黛玉已摇摇摆摆的来了，一见宝玉，便笑道：『哎哟！我来的不巧了。』（不巧与可巧的撞击。有深意乎？随口一说乎？大而化之，是应对妙法。）宝玉等忙起身让坐，宝钗因笑道：『这话怎么说？』黛玉道：『早知他来，我就不来了。』宝钗道：『我不解这意？』黛玉笑道：『要来时一齐来，要不来一个也不来；今儿他来，明儿我来，如此间错开了来，岂不天天有人来了？也不至太冷落，也不至太热闹。姐姐如何不解这意思？』（闲逗嘴之中，不无弦外之意，不无另外的潜台词。对有意说之的话作无意义的解说，表面上的自我解构，埋藏着内里的玄机。）

宝玉因见他外面罩着大红羽缎对襟褂子，因问：『下雪了么？』地下婆子们说：『下了这半日了。』（宝玉已来了很长时间了么？语含机锋。不知可否编入外交人员学习参考材料。）宝玉道：『取了我的斗篷来。』黛玉便笑道：『是不是？我来了他就该去了。』宝玉道：『我何曾说要去？不过拿来预备着。』宝玉的奶母李嬷嬷因说道：『天又下雪，也要看早晚的，就在这里和姐姐妹妹一处玩玩罢。姨妈那里摆茶果呢。我叫丫头去取了斗篷来，说给小么儿们散了罢。』宝玉应了。李嬷嬷出来，命小厮们：『都散了。』

这里薛姨妈已摆了几样细巧茶果，留他们吃茶。宝玉因夸前日在那边府里珍大嫂子的好鹅掌鸭信。（『鸭信』想是鸭舌。）薛姨妈连忙把自己糟的取来与他尝。宝玉笑道：『这个须就酒方好。』薛姨妈便命人灌了上等的酒来。李嬷嬷便上来道：『姨太太，酒倒罢了。』宝玉笑央道：『妈妈，我只吃一杯。』李妈道：『不中用，当着老太太、太太，那怕你吃一坛呢。想那日我眼错不见一会，不知是那个没调教的，只图讨你的好，给了你一口酒吃，葬送得我挨了两日的骂。（仆人而为主人的监护或老师，这种角色注定了讨嫌杀风景，愈是尽职愈是正正经经愈是可厌。）姨太太不知他性子又可恶，吃了酒更弄性。有一日老太太高兴，又尽着他吃，什么日子又不许他吃，何苦我白赔在里面？』薛姨妈笑道：『老货，（能被老板叫以昵称——老货，也算有头脸了。）只管放心吃你的去！我也不许他吃多了。便是老太太问，有我呢。』一面命小丫头：『来，让你奶奶去也吃杯搪搪寒气。』那李嬷嬷听如此说，只得且和众人吃酒去。这里宝玉又说：『不必烫暖了，我只爱吃冷的。』薛姨妈道：『这可使不得，吃了冷酒，写字手打颤儿。』宝钗笑道：『宝兄弟，亏你每日家杂学旁收的，难道就不知道酒性最热，若热吃下去，发散的就快；若冷吃下去，便凝结在内，五脏去暖他，岂不受害？（中国式的臆想生理学、药理学。）从此还不改了。快不要吃那冷的了。』（果然有『姐姐』风。民间将这一套讲究称为『妈妈经』。）宝玉听这话有情理，便放下冷的，令人烫来方饮。

黛玉磕着瓜子儿，只管抿着嘴笑。可巧黛玉的丫鬟雪雁走来与黛玉送小手炉，黛玉因含笑问他说：『谁叫你送来的？难为他费心，那里就冷死了我！』雪雁道：『紫鹃姐姐怕姑娘冷，叫我送来的。』黛玉一面接了，抱在怀中，笑道：『也亏你倒听他的话，我平日和你说的，全当耳旁风；怎么他说了你就依，比圣旨还快些！』（逞一时口舌之快，其实无利亦无趣。）宝玉听这话，知是黛玉借此奚落他，也无回复之词，只嘻嘻的笑一阵罢了。宝钗素知黛玉是如此惯了的，也不去睬他。（客观上，在言语调侃中，宝玉与宝钗站到一起了。）薛姨妈因道：『你素日身子单弱，禁不得冷的，他们记挂着你倒不好？』黛玉笑道：『姨妈不知道。幸亏是姨妈这里，倘或在别人家，岂不要恼的？难道看得人家连个手炉也没有？巴巴儿的从家里送个手炉来。不说丫头们太小心，还只当我素日是这等轻狂惯了呢。』（本是打趣宝玉，姨妈一问，又增加了一层『多心』的意思。语言深处有语言，语言分层次解读。这倒很『现代』了。从某种意义上说，乃至于可以说是评点者杜撰地说，『现代』永远不是趋时的产物，趋时是二三流以下的作家的事。最新的『现代感』来自才华。才华的发现万古常新，蕴涵丰富，与最现代的探索或学说相通。）薛姨妈道：『你是个多心的，有这样想，我就没有这些心。』

说话时，宝玉已是三杯过去了。李嬷嬷又上来拦阻。宝玉正在个心甜意洽之时，又兼姊妹们说说笑笑的，那里肯不吃？只得屈意央告：『好妈妈，我再吃两杯就不吃了。』李嬷嬷道：『你可仔细今儿老爷在家，提防着问你的书！』（李嬷嬷着实讨嫌。）宝玉听了此话，便心中大不悦，慢慢的放下酒，垂了头。黛玉忙说：『扫了大家的兴！舅舅若叫你，只说姨妈留着呢。这个妈妈，他吃了酒，又拿我们来醒脾了。』一面悄推宝玉，使他赌赌气；一面悄悄的咕哝说：『别理那老货！咱们只管乐咱们的。』那李妈也素知黛玉的，因说道：『林姐儿，你不要助着他了。你倒劝他，只怕他还听些。』（没点牙口，上得了台盘吗？）林黛玉冷笑道：『我为什么助他？我也不犯着劝他。你这妈妈太小心了，往常老太太又给他酒吃，如今在姨妈这里多吃了一口，料也不妨事。必定姨妈这里是外人，不当在这里的，也未可知。』李嬷嬷听了，又是急，又是笑，说道：『真真这林姐儿，说出一句话来，比刀子还利害，我这话算什么！』（逻辑上这叫『归谬法』，也是一种『辩才』。）宝钗也忍不住笑着把黛玉腮上一拧，说道：『真真的这个颦丫头的一张嘴，叫人恨又不是，喜欢又不是。』薛姨妈一面又说：『别怕，别怕，我的儿！来了这里，没好的你吃，别把这点子东西吓的存在心里，倒叫我不安。只管放心吃，有我呢。越发吃了晚饭去，便醉了，就跟着我睡罢。』（显得更高一筹，更大一圈。薛姨妈借此显示自己的地位。）因命：『再烫些酒来，姨妈陪你吃两杯，可就吃饭罢。』（看来薛姨妈也要用实际行动还击李嬷嬷的『教师婆』嘴脸的干涉。当然，也是为了哄宝玉。）宝玉听了，方又鼓起兴来。

李嬷嬷因吩咐小丫头：『你们在这里小心着，我家去换了衣服就来。』（现在想起小丫头来了，刚才怎么唯我独尽心呢。）悄悄的回姨太太：『别由他的性儿多吃了。』（李嬷嬷不支退下，嘴还不让。）说着便家去了。

这里虽还有两三个婆子，都是不关痛痒的，见李嬷嬷走了，也都悄悄自寻方便去了。只剩两个小丫头，乐得讨宝玉的欢喜。幸而薛姨妈千哄万哄，只容他吃了几杯，就忙收过了。作了酸笋鸡皮汤，宝玉痛喝了几碗，又吃了半碗多碧粳粥，（真好吃呀，吃乃生活要务，也是重要的文学描写对象。写好了吃，增加了人间感、烟火气与说服力。）一时薛林二人也吃完了饭，又酽酽的喝了几碗茶。薛姨妈方放了心。雪雁等三四人，也吃了饭进来伺候。黛玉因问宝玉道：『你走不走？』宝玉乜斜倦眼道：『你要走我和你一同走。』黛玉听说，遂起身道：『咱们来了这一日，也该回去了。』说着，二人便告辞。

小丫头忙捧过斗笠来，宝玉便把头略低一低，叫他戴上，那丫头便将这大红猩毡斗笠一抖，才往宝玉头上一合，宝玉便说：『罢了，罢了！好蠢东西！你也轻些儿，难道没见别人戴过？让我自己戴罢。』（少爷的架势，少爷的声口。）黛玉站在炕沿上道：『过来，我与你戴罢。』宝玉忙近前来。黛玉用手轻轻笼住束发冠儿，将笠沿掖在抹额之上，将那一颗核桃大的绛绒簪缨扶起，颤巍巍露于笠外。整理已毕，端像了一会，说道：『好了，披上斗篷罢。』（黛玉自有其尽心细致处。）宝玉听了，方接了斗篷披上。（中国旧称『爱情』为『恩爱』，信然，黛玉对宝玉有戴大红猩毡斗笠之恩也。）薛姨妈忙道：『跟你们的妈妈都还没来呢，且略等等。』宝玉道：『我们倒去等他们，有丫头们跟着也够了。』薛姨妈不放心，吩咐两个妇女跟着送了他兄妹们去。

他二人道了扰，一径回至贾母房中。贾母尚未用晚饭，知是薛姨妈处来，更加喜欢。因见宝玉吃了酒，遂命他自回房中歇着，不许再出来了，因令人好生看待着。忽想起跟宝玉的人来，遂问众人：『李奶子怎么不见？』（李嬷处于贾母的视野之内，是受重视，也是体面。李嬷如知贾母问她，一会后悔不该回家，一会受宠若惊，得意洋洋，更加受用呢。）众人不敢直说他家去了，只说：『才进来的，想有事又出去了。』宝玉踉跄回顾道：『他比老太太还受用呢，问他作什么！没有他只怕我还多活两日。』一面说，一面来至自己卧室，只见笔墨在案。晴雯先接出来，笑道：『好好叫我研了墨，早起高兴，只写了三个字，丢下笔就走了，哄我等了这一天。快来给我写完了这些墨才罢！』（口气中透着亲近和多情。）宝玉方才想起早起的事来，因笑道：『我写的那三个字在那里呢？』晴雯笑道：『这个人可醉了。你头里过那府里去，嘱咐我贴在门斗儿上的，我生怕别人贴坏了，亲自爬高上梯，贴了半日，这会儿还冻得手僵呢。』宝玉笑道：『我忘了。你手冷，我替你握着。』便伸手携着晴雯的手，同看门斗上新写的三个字。（动作天真烂漫而又亲切。）

一时黛玉来了，宝玉笑道：『好妹妹，你别撒谎，你看这三个字那一个好？』黛玉仰头看见是『绛芸轩』三字，笑道：『个个都好。怎么写得这样好法？明儿也替我写个匾。』宝玉笑道：『又哄我呢。』说着又问：『袭人姐姐呢？』晴雯向里间炕上努嘴。宝玉看时，只见袭人和衣睡着。宝玉笑道：『好，太睡早了些。』又问晴雯道：『今儿我那边吃早饭，有一碟儿豆腐皮的包子，我想着你爱吃，和珍大嫂子说了，只说我留着晚上吃，叫人送过来的。你可曾见么？』（小事见情性，见人际关系。）晴雯道：『快别提了。一送来我便知道是我的，偏才吃了饭，就搁在那里。后来李奶奶来了看见，说：「宝玉未必吃了，拿去给我孙子吃罢。」（老天真式的赤裸裸的自私。）就叫人送了家去了。』

正说着，茜雪捧上茶来，宝玉还让：『林妹妹吃茶。』众人笑道：『林姑娘早走了，还让呢。』

宝玉吃了半盏，忽又想起早晨的茶来，因问茜雪道：『早起斟了一碗枫露茶，我说过那茶是三四次后才出色的，这会子怎么又斟上这个茶来？』茜雪道：『我原是留着的，那会子李奶奶来了，吃了去。』宝玉听了，将手中杯子顺手往地下一掷，豁琅一声，打个粉碎，泼了茜雪一裙子。又跳起来问着茜雪道：『他是你那一门子的「奶奶」，你们这样孝敬他？不过是我小时候吃过他几日奶罢了，如今惯的比祖宗还大，撵了出去大家干净！』（详写与李嬷嬷有关诸事，凸现了人物，剖析了关系，透露了无奈。）说着立刻便要去回贾母撵他乳母。（酒后胆大。）

原来袭人实未睡着，不过是故意装睡，引宝玉来怄他玩耍；先闻得说字问包子，也还可以不必起来；后来摔了茶钟，动了气，遂连忙起来解释劝阻。（侍候主子无定法。）早有贾母遣人来问：『是怎么了？』袭人忙道：『我才倒茶来，被雪滑倒了，失手砸了钟子。』一面又劝宝玉道：『你立意要撵他也好，我们都愿意出去，不如趁势连我们一齐撵了，我们也好，你也不愁没有好的来伏侍你。』（保境安民——也安『官』，息事宁人的方针是唯一正确的方针。如果把问题捅给贾母，袭人难辞其咎，宝玉和李嬷嬷都不会原谅袭人，袭人有成为宝、李矛盾的牺牲品的危险。那些喜欢拨弄是非的人应该借鉴。）宝玉听了，方无言语，被袭人等扶至炕上，脱了衣裳。不知宝玉口内还说些什么，只觉口齿缠绵，眉眼愈加饧涩，忙伏侍他睡下。袭人摘下那『通灵宝玉』来，用手帕包好，塞在褥子下，次日带时，便冰不着脖子。（细致入微。可以作出一种想象，『红』作者有过佩戴某种寄名符之类器物的经验，既是公子哥儿的饰物——如今日之一些男青年亦戴项链然，又有一种迷信色彩。迷信到与之须臾不可分离，视之为自己的生命的依托，生命的物化，进一步产生出恍兮惚兮的衔之而生的幻觉来。如是生编硬造的故事，实难写得如此体贴备至，细腻入微。）那宝玉到枕就睡着了。彼时李嬷嬷等已进来了，听见醉了，也就不敢上前，只悄悄的打听睡了，方放心散去。

以宝玉受宠的地位，气恼至此，又发了话，按道理驱逐掉李嬷嬷应无问题。但还是做不到。一、宝玉吃过她的奶，她有过硬的本钱。二、她的讨嫌的干预的核心是规劝宝玉走『正路』，限制宝玉不要放纵，大节上，她比宝玉还有理，还符合贾家的根本利益。三、她多吃多占，仍没什么大不了的。招人生气却又上不了纲，宝玉徒唤奈何。宝玉要月亮会有人给他摘，对于一个李嬷嬷却气得干瞪眼，有趣。有点意思。

次日醒来，就有人回：『那边小蓉大爷带了秦钟来拜。』宝玉忙接出去，领了拜见贾母。贾母见秦钟形容标致，举止温柔，堪陪宝玉读书，心中十分欢喜，便留茶留饭，又命人带去见王夫人等。众人因爱秦氏，见了秦钟是这样人品，也都欢喜，临去时，都有表礼。贾母又与了一个荷包并一个金魁星，取『文星和合』之意。又嘱咐他道：『你家住的远，或一时寒热不便，只管住在我这里。只和你宝叔在一处，别跟着那不长进的东西们学。』秦钟一一的答应，回家禀知他父亲。

他父亲秦邦业现任营缮郎，年近七旬，夫人早亡。因当年无儿女，便向养生堂抱了一个儿子并一个女儿。谁知儿子又死了，只剩女儿，小名唤可儿。长大时，生得形容袅娜，性格风流，因素与贾家有些瓜葛，（什么瓜葛？养生堂抱的一个营缮郎的养女，如何配得上贾蓉？）故结了亲。秦邦业五旬之上方得了秦钟，因去岁业师回南，在家温习旧课，正要与贾亲家商议附往他家塾中去；可巧遇见宝玉这个机会，又知贾家塾中司塾的乃贾代儒，现今之老儒，秦钟此去，可望学业进益，从此成名，因十分喜悦。（『学业进益……成名』云云，成为以后真实发展的讽刺。想得愈诚愈美就愈讽刺。）只是宦囊羞涩，那边都是一双富贵眼睛，少了拿不出来；儿子的终身大事，说不得东并西凑，恭恭敬敬封了二十四两贽见礼，带来秦钟到代儒家来拜见，（秦钟上个学都要如许的贽见礼，可卿的联姻又是怎么解决的呢？）然后听宝玉拣的好日子，一同入塾。塾中闹事如何，下回分解。

这一回，宝、黛、钗之间，宝、李嬷嬷之间开始出现一点前哨战。黛玉的言谈，带有『火力侦察』的性质。

在宝黛悲剧因宝玉之玉而符号化的同时，与宝钗的关系——金玉缘——也符号化了。符号化可能只是人自身的幻觉，但这个幻觉反过来多少主宰了人的命运。

一个刘老老，一个李嬷嬷，也许作者无意对比二人，读来却不无感慨。原来，人处的地位越低下，就越可爱。

第九回 训劣子李贵承申饬 嗔顽童茗烟闹书房

话说秦邦业父子专候贾家的人来送上学之信。原来宝玉急于要和秦钟相遇，遂择了后日一定上学，打发人送了信。至日一早，宝玉起来时，袭人早已把书笔文物收拾停妥，坐在床沿上发闷；见宝玉来，只得伏侍他梳洗。宝玉见他闷闷的，因问道：『好姐姐，你怎么又不自在了？难道怪我上学去，丢的你们冷清了不成？』袭人笑道：『这是那里的话。读书是极好的事，不然就潦倒了一辈子，终久怎么样呢。但只一件：只是念书的时节想着书，不念的时节想着家。（自幼就害怕交际，害怕民众，拼命提倡自我封闭。）总别和他们一处玩闹，碰见老爷不是玩的。虽说是奋志要强，那工课宁可少些，一则贪多嚼不烂，二则身子也要保重。这就是我的意思，你可时时体谅。』（袭人俨然是宝玉的第一个监护人、守护人、责任人。）袭人说一句，宝玉应一句。袭人又道：『大毛衣服我也包好了，交给小子们去了。学里冷，好歹想着添换，比不得家里有人照顾。脚炉手炉也交出去的了，你可逼着他们添。那一起懒贼，你不说，他们乐得不动，白冻坏了你。』（这样不放心，这样叮嘱，不造就出窝囊废来才见鬼！）宝玉道：『你放心，我出外头，自己都会调停的。你们也可别闷死在这屋里，长和林妹妹一处去玩耍才好。』说着俱已穿戴齐备，袭人催他去见贾母、贾政、王夫人等。宝玉又嘱咐了晴雯麝月几句，方出来见贾母。贾母也未免有几句嘱咐的话。然后去见王夫人，又出来到书房中见贾政。

偏生这日贾政回家早，正在书房中与相公清客们闲话，忽见宝玉进来请安，回说上学里去，贾政冷笑道：『你如果再提「上学」两个字，连我也羞死了。依我的话，你竟玩你的去是正经。仔细站脏了我这地，靠脏了我这门！』（教育儿子，可以理解，怎么这么大情绪，说这话也有失父亲、贵族加正人君子的身份。颇有视子为敌的姿态。）众清客相公们都起身笑道：『老世翁何必如此。今日世兄一去，二三年就可显身成名的了，断不似往年作小儿之态的。天也将饭时，世兄竟快请罢。』说着便有两个年老的携了宝玉出去。

贾政因问：『跟宝玉的是谁？』只听见外面答应了一声，早进来三四个大汉，打千儿请安。贾政看时，认得宝玉奶姆之子，名唤李贵的，（与李嬷嬷联系上。长篇小说中人物众多，必须节省人物数量，增加人物间的网状关系，方易于阅读记忆。）因向他道：『你们成日家跟他上学，他到底念了些什么书！倒念了些流言混话在肚子里，学了些精致的淘气。等我闲一闲，先揭了你的皮，再和那不长进的算账！』吓的李贵忙双膝跪下，摘了帽子碰头，连连答应『是』，又回说：『哥儿已念到第三本《诗经》，什么「呦呦鹿鸣，荷叶浮萍」，小的不敢撒谎。』说的满坐哄然大笑起来，贾政也掌不住笑了。因说道：『那怕再念三十本《诗经》，也都是「掩耳盗铃」，哄人而已。你去请学里太爷的安，就道我说的：什么《诗经》、古文，一概不用虚应故事，只是先把《四书》一齐讲明背熟，是最要紧的。』（贾政的诗论有高明与一针见血处。盖《诗经》中的一些诗，不失真性情。只有读《四书》，才能遏制住性情。贾政追求的是遏制直至消灭宝玉的性情，诗情对于性情只能略加疏导与美化，曰『掩耳盗铃』，不无道理。）李贵忙答应『是』，见贾政无话，方退出去。

此时宝玉独站在院外，屏声静候，待他们出来便同走了。李贵等一面掸衣服，一面说道：『哥儿可听见了不曾？先要揭我们的皮呢！人家的奴才跟主子赚些好体面，我们这些奴才白陪着挨打受骂的。从此也可怜见些才好。』（实话。奴才不好当。奴才真心祝愿主子长进。）宝玉笑道：『好哥哥，你别委屈，我明儿请你。』李贵道：『小祖宗，谁敢望「请」，只求听一两句话就有了。』

说着又至贾母这边，秦钟早已来了，贾母正和他说话呢。于是二人见过，辞了贾母。宝玉忽想起来未辞黛玉，又忙至黛玉房中来作辞。彼时黛玉在窗下对镜理妆，听宝玉说上学去，因笑道：『好，这一去，可是要「蟾宫折桂」了！我不能送你了。』宝玉道：『好妹妹，等我下学再吃晚饭。那胭脂膏子也等我来再制。』（娇公子上学，也是撒娇，也是笑话。）唠叨了半日，方抽身去了。黛玉忙又叫住问道：『你怎么不去辞辞你宝姐姐来？』宝玉笑而不答，（问得好，笑得好，不答得更好。本来，又有什么『怎么不去』可说？）一径同秦钟上学去了。

原来这义学也离家不远，原系当日始祖所立，恐族中子弟有力不能延师者，即入此中读书。凡族中为官者，皆有帮助银两，以为学中膏火之费；举年高有德之人为塾师。如今秦宝二人来了，一一的都互相拜见过，读起书来。自此后，二人同来同往，同起同坐，愈加亲密。兼贾母爱惜，也常留下秦钟，一住三五天，自己重孙一般看待。因见秦钟家中不甚宽裕，又助些衣服等物。不上一两月工夫，秦钟在荣府里便惯熟了。宝玉终是个不能安分守理的人，一味的随心所欲，因此发了癖性，又向秦钟悄说：『咱们两个人，一样的年纪，况又同窗，以后不必论叔侄，只论兄弟朋友就是了。』（再次要求平等。）先是秦钟不敢当，宝玉不从，只叫他『兄弟』，或叫他的表字『鲸卿』，也只得混着乱叫起来。

原来这学中虽都是本族子弟与些亲戚家的子侄，俗语说的好，『一龙九种，种种各别』，未免人多了就有龙蛇混杂，下流人物在内。（人少了就不下流了？）自秦宝二人来了，都生的花朵儿一般的模样，又见秦钟腼腆温柔，未语先红，怯怯羞羞，有女儿之风；宝玉又是天生成惯能作小服低，赔身下气，性情体贴，话语缠绵。因此二人又这般亲厚，也怨不得那起同窗人起了嫌疑之念，背地里你言我语，诟谇谣诼，布满书房内外。（这里有三个问题：上等人总是比下等人娇弱，优势转为劣势；其次，宝玉与秦钟涉嫌同性恋，易受议论；第三，任何过于亲密的双边关系都会引起疑嫉——包括两个国家也是这样。）

原来薛蟠自来王夫人处住后，便知有一家学，学中广有青年子弟，偶动了『龙阳』之兴，因此也假说了来上学，不过是『三日打鱼，两日晒网』，白送些束脩礼物与贾代儒，却不曾有一些进益，只图结交些契弟。谁想这学内的小学生，图了薛蟠的银钱穿吃，被他哄上手的，也不消多记。又有两个多情的小学生，亦不知是那一房的亲眷，亦未考真姓名，只因生得妩媚风流，满学中都送了两个外号，一叫『香怜』，一叫『玉爱』。（那时的同性恋似比现在更普及更公开呢。）虽系都有窃慕之意，将『不利于孺子』之心，只是都惧薛蟠的威势，不敢来沾惹。如今秦宝二人一来了，见了他两个，亦不免缱绻羡爱，亦皆知系薛蟠相知，故未敢轻举妄动；香玉二人心中，一般的留情与秦宝。因此四人心中虽有情意，只未发迹。每日一入学中，四处各坐，却八目勾留，或设言托意，或咏桑寓柳，遥以心照，却外面自为避人眼目。（青春期综合症之一种。）不料偏又有几个滑贼看出形景来，都背后挤眉弄眼，或咳嗽扬声，这也非止一日。

可巧这日代儒有事回家，只留下一句七言对联，令学生对了明日再来上书；将学中之事，又命长孙贾瑞管理。（引出贾瑞来，故事在后边。）妙在薛蟠如今不大上学应卯了，因此秦钟趁此和香怜弄眉挤眼，二人假出小恭，走至后院说话。

秦钟先问他：『家里的大人可管你交朋友不管？』一语未了，只听见背后咳嗽了一声，二人唬的忙回顾时，原来是窗友名金荣的。香怜本有些性急，便羞怒相激，问他道：『你咳嗽什么？难道不许我们说话不成？』金荣笑道：『许你们说话，难道不许我咳嗽不成？我只问你们：有话不分明说，许你们这样鬼鬼祟祟的干什么故事？我可也拿住了，还赖什么！先让我抽个头儿，咱们一声儿不言语，不然大家就翻起来！』秦香二人就急得飞红的脸，便问道：『你拿住什么了？』金荣笑道：『我现拿住了是真的。』说着又拍着手笑嚷道：『贴的好烧饼！（贴烧饼云云，不知是什么行话。反正每个时期都有这样的俚语、行话乃至黑话。可见语言的公共性可交流性也造成了弊病，所以人们热心于搞一些含蓄些乃至保密些的代码。）你们都不买一个吃去？』秦钟香怜二人又气又恼，忙进来向贾瑞前告金荣，说金荣无故欺负他两个。

原来这贾瑞最是个图便宜没行止的人，每在学中以公报私，勒索子弟们请他；后又助着薛蟠图些银钱酒肉，一任薛蟠横行霸道，他不但不去管约，反『助纣为虐』讨好儿。（连家学中的孩子们也这样肮脏，真是烂到家了。）偏那薛蟠本是浮萍心性，今日爱东，明日爱西，近来有了新朋友，把香玉二人丢开一边；就连金荣也是当日的好友，自有了香玉二人，便见弃了金荣。近日连香玉亦已见弃。故贾瑞也无了提携帮衬之人，不怨薛蟠得新厌故，只怨香玉二人不在薛蟠前提携了。因此贾瑞金荣等一干人，也正醋妒他两个。（醋妒心理，是『红』人物的重要行为动机，内趋力。醋妒心理，甚至对于世界、国家、社会的种种矛盾、斗争也有相当大的作用。）今见秦香二人来告金荣，贾瑞心中便不自在起来，虽不敢呵叱秦钟，却拿着香怜作法，反说他多事，着实抢白了几句。香怜反讨了没趣，连秦钟也讪讪的各归坐位去了。金荣越发得了意，摇头咂嘴的，口内还说许多闲话，玉爱偏又听了，两个人隔坐咕咕唧唧的角起口来。金荣只一口咬定说：『方才明明的撞见他两个在后院里亲嘴摸屁股，两个商议定了，一对儿论长道短之言。』只顾得志乱说，却不防还有别人，谁知早又触怒了一个人。你道这一个人是谁？

原来这人名唤贾蔷，亦系宁府中之正派玄孙，父母早亡，从小儿跟着贾珍过活，如今长了十六岁，比贾蓉生得还风流俊俏。他兄弟二人最相亲厚，常共起居，宁府中人多口杂，那些不得志的奴仆，专能造言诽谤主人，因此不知又有什么小人诟谇谣诼之辞。（一、专能诽谤。二、也可能确有根据，不是诽谤。即使是奴仆，也不能欺之太甚的。）贾珍想亦风闻得些口声不好，自己也要避些嫌疑，如今竟分与房舍，命贾蔷搬出宁府，自己立门户过活去了。这贾蔷外相既美，内性又聪敏，虽然应名来上学，亦不过虚掩眼目而已；仍是斗鸡走狗，赏花阅柳为事。上有贾珍溺爱，下有贾蓉匡助，因此族中人谁敢触逆于他。他既和贾蓉最好，今见有人欺负秦钟，如何肯依？如今自己要挺身出来报不平，心中且忖度一番：『金荣贾瑞一等人，都是薛大叔的相知，我又与薛大叔相好，倘或我一出头，他们告诉了老薛，我们岂不伤和气？欲不管，如此谣言，说的大家没趣。如今何不用计制伏，又止息声口，又不伤脸面。』（一个巴掌拍不响，一大堆巴掌，岂有不大乱特乱之理？）想毕，也装出小恭去，走至后面，悄悄把跟宝玉的书童茗烟叫至身边，如此这般，调拨他几句。（任何一个『历史事件』，一场恶斗中，都有各种不可或缺的角色被派定。）

这茗烟乃是宝玉第一个得用的，且又年轻不谙事，如今听贾蔷说：『金荣如此欺负秦钟，连你的爷宝玉都干连在内，不给他个知道，下次越发狂纵了。』这茗烟无故就要欺压人的，如今得了这信，又有贾蔷助着，便一头进来找金荣，也不叫『金相公』了，只说：『姓金的，是什么东西！』贾蔷遂跺一跺靴子，故意整整衣服，看看

日影儿说：『正时候了。』遂先向贾瑞说有事要早走一步。（十六岁就练就了这等本事，等五十六岁六十六岁七十六岁可怎么得了！呜呼哀哉，呜呼哀哉！）贾瑞不敢止他，只得随他去了。

这里茗烟走进来，便一把揪住金荣问道：『我们臊屁股不臊，管你毛毤毴相干？横竖没臊你爹就罢了！你是好小子，出来动一动你茗大爷！』（充分发挥了粗人——奴仆的优越性，干脆把粗话说到极致，反倒震了，没了治了。）吓的满室中子弟都怔怔的痴望。贾瑞忙喝：『茗烟不得撒野！』（管点事就必须撒野。）金荣气黄了脸，说：『反了！奴才小子都敢如此，我只和你主子说。』便夺手要去抓打宝玉。秦钟刚转出身来，听得脑后飕的一声，早见一方砚瓦飞来，并不知系何人打来，却打了贾蓝贾菌的座上。（恶斗会使一些本来不相干的人卷进去。）

这贾蓝贾菌亦系荣府近派的重孙，这贾菌少孤，其母疼爱非常，书房中与贾蓝最好，所以二人同坐。谁知这贾菌年纪虽小，志气最大，极是淘气不怕人的。（也叫志气。）他在位上，冷眼看见金荣的朋友暗助金荣，飞砚来打茗烟，偏打错了落在自己面前，将个磁砚水壶儿打粉碎，溅了一书墨水。贾菌如何依得，便骂：『好囚攮的们，这不都动了手了么！』骂着，也便抓起砚砖来要飞。贾蓝是个省事的，忙按住砚砖，极口劝道：『好兄弟，不与咱们相干。』贾菌如何忍得，见按住砚砖，他便两手抱起书箧子来，照这边揕了来。终是身小力薄，却揕不到，反揕至宝玉秦钟案上就落下来了。只听豁啷一响，砸在桌上，书本、纸片、笔、砚等物，撒了一桌；又把宝玉的一碗茶也砸得碗碎茶流。那贾菌即便跳出来，要揪打那飞砚的人。金荣此时随手抓了一根毛竹大板在手，地狭人多，那里经得舞动长板。茗烟早吃了一下，乱嚷：『你们还不来动手？』宝玉还有几个小厮：一名扫红，一名锄药，

一名墨雨，这三个岂有不淘气的，一齐乱嚷：『小妇养的！动了兵器了！』（热闹！生动！好戏！人一急眼，语言就生动了，这八股那八股，都是不疼不痒的去了势的玩艺儿。）墨雨遂掇起一根门闩，扫红锄药手中都是马鞭子，蜂拥而上。贾瑞急得拦一回这个，劝一回那个，谁听他的话？肆行大乱。众顽童也有帮着打太平拳助乐的，也有胆小藏过一边的，也有立在桌上拍着手乱笑，喝着声儿叫打的。登时鼎沸起来。（众皆好斗乎？遇斗则喜乎？喜不自胜乎？）

外边几个大仆人李贵等听见里边作反起来，忙都进来一齐喝住，问是何故，众声不一，这一个如此说，那一个又如彼说。（文本永远不会统一。）李贵且喝骂了茗烟等四个一顿，撵了出去。秦钟的头早撞在金荣的板上，打去一层油皮，宝玉正拿褂襟子替他揉，见喝住了众人，便命：『李贵，收书！拉马来，我去回太爷去！我们被人欺负了，不敢说别的，守礼来告诉瑞大爷，瑞大爷反派我们的不是，听着人家骂我们，还调唆人家打我们。茗烟见人欺负我们，岂有不为我的；他们反打伙儿打了茗烟，连秦钟的头也打破了。还在这里念书么？』（宝玉似乎对这种场面也不陌生，语言对策颇现成、成套。）李贵劝道：『哥儿不要性急，太爷既有事回家去了，这会子为这点子事去聒噪他老人家，倒显的咱们没礼似的。依我的主意，那里的事情那里了结，何必惊动老人家。这都是瑞大爷的不是，太爷不在这里，你老人家就是这学里的头脑了，众人看你行事。众人有了不是，该打的打，该罚的罚，如何等闹到这步田地还不管？』贾瑞道：『我吆喝着都不听。』李贵道：『不怕你老人家恼我，素日你老人家到底有些不是，所以这些兄弟不听。就闹到太爷跟前去，连你老人家也脱不了的。还不快作主意撕罗开了罢！』宝玉道：『撕罗什么？我必要回去的。』秦钟哭道：『有金荣在这里，我是要回去的了。』宝玉道：

『这是为什么？难道别人家来得，咱们倒来不得的？我必回明白众人，撵了金荣去。』又问李贵：『这金荣是那一房的亲友？』李贵想一想，道：『也不用问了。若说起那一房亲戚，更伤了兄弟们和气。』（一个富贵之家，必有众多的依附者，攀援者。）

茗烟在窗外道：『他是东胡同里璜大奶奶的侄儿，那是什么硬挣仗腰子的，也来吓我们。璜大奶奶是他姑妈。你那姑妈只会打旋磨儿，（『打旋磨儿』，生动。）给我们琏二奶奶跪着借当头，我眼里就看不起他那样主子奶奶！』（仆以主荣，反之亦然。）李贵忙喝道：『偏这小狗养的知道，有这些蛆嚼！』宝玉冷笑道：『我只当是谁的亲戚，原来是璜嫂子侄儿，我就去问问他。』说着便要走，叫茗烟进来包书。茗烟进来包书，又得意洋洋的道：『爷也不用自己去见他，等我去他家，就说老太太有话问他呢，雇上一辆车子拉进去，当着老太太问他，岂不省事？』李贵忙喝道：『你要死！仔细回去我好不好先捶了你，然后回老爷、太太，就说宝哥全是你调唆的。我这里好容易劝哄的好了一半，你又来生了新法儿。你闹了学堂，不说变个法儿压息了才是，倒还往火里奔！』茗烟方不敢做声。

李贵处理纠纷，实在是水平不低。第一，立足于息事宁人，而不是加剧矛盾，很对。本来就没有大不了的。第二，本人超脱，不介入矛盾，连宝玉主子这边也不盲目投合，这就赢得了化解纠纷的主动权。第三，先责备主管人员，而不是责备冲突中任何一方，既合情理，又转移了冲突热点。第四，适当弹压过激分子，如茗烟，以收杀一儆百之效。第五，当然还是谁势力大谁有理，所以最后还是让金荣道歉。这一套，方针对、方法对、收效好。值得借鉴。这种生活中的智慧，固不可轻视也。这在『红』中，也算大场面了。如闻其声，如见其形，真切实在，令人信服。下流而不失天真，混乱而不失头绪，可恼更复可笑，闹剧而不失分寸。任何矛盾一激化就往往演变为混战，一混战也就只能不了了之，稀泥和之。到这时候，见好就收也就是胜利了。如果动真格的，一定不依不饶（如茗烟），就是要捶要死了。

此时贾瑞也生恐闹不清，自己也不干净，只得委曲着来央告秦钟，又央告宝玉。先是他二人不肯，后来宝玉说：『不回去也罢了，只叫金荣赔不是便罢。』（在这个家学中，当然宝玉的身份最高，但他依然接受了妥协。可见，谁的行为也不是不受客观的合理性与可能性的限制的。宝玉其实明白并接受这样的限制，所以他不是薛蟠式的混小子。）金荣先是不肯，后来经不得贾瑞也来逼他权赔个不是，李贵等只得好劝金荣，说：『原是你起的端，你不这样，怎得了局？』金荣强不得，只得与秦钟作了揖，宝玉还不依，定要磕头。贾瑞只要暂息此事，又悄悄的劝金荣说：『俗语云：「忍得一时忿，终身无恼闷。」』未知金荣从也不从，下回分解。

每读此回，皆有精神抖擞，兴奋神旺之感。一，包括评点者，都有爱闹腾的心理，都欣赏天下大乱而不是平静寡淡。二，都有势利心，势利眼，看到一些没有本钱，偏偏不肯服输的混球儿吃瘪，有为之喝彩的幸灾乐祸之心。盖旁观者的正义感、是非心，极易被看热闹、作壁上观之心所替代。

第十回 金寡妇贪利权受辱 张太医论病细穷源

话说金荣因人多势众，又兼贾瑞勒令赔了不是，给秦钟磕了头，宝玉方才不吵闹了。大家散了学，金荣自己回到家中，越想越气，说：『秦钟不过是贾蓉的小舅子，又不是贾家的子孙，附学读书，也不过和我一样，他因

仗着宝玉同他相好，就目中无人。既是这样，就该行些正经事，也没的说；他素日又和宝玉鬼鬼祟祟的，只当人都是瞎子，看不见。今日他又去勾搭人，偏偏撞在我眼里，就是闹出事来，我还怕什么不成？』（这一段自言自语——也可能是内心独白是体贴着人物写出来的，表面上虽然是说秦钟，实际也批判了宝玉。这就比把人物分成黑白两色深刻得多。）

他母亲胡氏听见他咕咕唧唧的，（咕咕唧唧，金荣差矣！这种矛盾本不应带回家来，更不应咕咕唧唧，太没有男子汉品格了。）说：『你又要管什么闲事？好容易我望你姑妈说了，你姑妈又千方百计的向他们西府里琏二奶奶跟前说了，你才得了这个念书的地方。若不是仗着人家，咱们家里还有力量请得起先生么？况且人家学里，茶饭都是现成的，你这二年在那里念书，家里也省好大的嚼用呢。省出来的，你又爱穿件鲜明衣服。再者，因你在那里念书，你就认得什么薛大爷了。那薛大爷一年也帮了咱们七八十两银子。（穷人思量，比较务实。依靠别人施舍者，能有什么尊严？）你如今要闹出了这个学房，若再要找这样一个地方，我告诉你说罢，比登天的还难呢！你给我老老实实的玩回子睡你的觉去，好多着的呢。』于是金荣忍气吞声，不多一时，也自睡觉了。次日仍旧上学去了，不在话下。

且说他姑妈原来给的是贾家『玉』字辈的嫡派，名唤贾璜，但其族人那里皆能像宁荣二府的富势？原不用细说。这贾璜夫妻，守着些小小的产业，又时常到宁荣二府里去请安，又会奉承凤姐儿并尤氏，所以凤姐儿尤氏也时常资助资助他，方能如此度日。今日正遇天气晴明，又值家中无事，遂带了一个婆子，坐上车，来家里走走，瞧瞧寡嫂并侄儿。

闲说之间，金荣的母亲偏提起昨日贾家学房里的事，从头至尾，一五一十都向他小姑子说了。（金荣母亲约束

金荣，但向璜大奶奶告状，她以为璜大奶奶能为她做主呢！）这璜大奶奶不听则已，听了，怒从心上起，说道：『这秦钟小子是贾门的亲戚，难道荣儿不是贾门的亲戚？人都别要势利了，况且都做的是什么有脸的事！就是宝玉也不犯向着他到这个田地。等我去到东府瞧瞧我们珍大奶奶，再和秦钟的姐姐说说，叫他评评这个理！』（自以为能说得上话。）

这金荣的母亲听了，急的了不得，忙说：『这都是我的快嘴，告诉了姑奶奶，求姑奶奶快别去说罢。别管他们谁是谁非，倘或闹出来，怎么在这里站得住？若站不住，家里不但不能请先生，反在他身上添出许多嚼用来呢。』璜大奶奶说道：『那里管得许多？你等我说了，看是怎么样！』也不容他嫂子劝，一面叫老婆子瞧了车，坐了望宁府里来。

到了宁府，进了东角门，下了车，进去见了贾珍的妻子尤氏，未敢气高，（一见着已矮了半截。）殷殷勤勤叙过了寒温，说了些闲话，方问道：『今日怎么没见蓉大奶奶？』尤氏说：『他这些日子不知怎么，经期有两个多月没有来。叫大夫瞧了，又说并不是喜。那两日，到下半日就懒怠动了，话也懒怠说，眼神也发眩。（秦氏的病，已露端倪。）我叫他：「你且不必拘礼，早晚不必照例上来，你竟养养罢。就是有亲戚来，还有我呢。就有长辈怪你，等我替你告诉。」连蓉哥我都嘱咐了，我说：「你不许累掯他，不许招他生气，叫他好生静养静养就好了。」他要想什么吃，只管到我这里来取。倘或他有个好歹，你再要娶这一个媳妇儿，这么个模样儿，这么个性情儿，只怕打着灯笼儿也没处去找呢！」他这为人行事，那个亲戚那个长辈不喜欢他？所以我这两日好不心烦。偏生今儿早起他兄弟来瞧他，谁知他那小孩子家不知好歹，（尤氏这种旁敲侧击，敲山震鼠的手段，令人难忘。）看见他姐姐身上不好，

这些事也不当告诉他，就受了万分委曲也不该向着他说。谁知昨日学房里打架，不知是那里附学的学生，倒欺负了他，里头还有些不干不净的话，都告诉了他姐姐。婶子，你是知道的：那媳妇虽则见了人有说有笑的，他可心细，心又多，不拘听见什么话儿，都要忖量个三日五夜才罢。这病就是从这「用心太过」上得来的。今儿听见有人欺负了他的兄弟，又是恼，又是气：恼的是那狐朋狗友，搬是弄非，调三惑四；气的是为他兄弟不学好，不上心读书，以致如此学里吵闹。他为了这事，索性连早饭还没吃。（何等的娇气！如非金枝玉叶，怎可能具有豌豆公主的脾气？）我才到他那边安慰了他一会，又劝解了他的兄弟几句，我叫他兄弟到那边府里找宝玉儿去了；我又瞧着他吃了半盏燕窝汤，我才过来的。婶子，你说我心焦不心焦？况且今又没个好大夫，我想到他这病上，我心里如同针扎的一般。你们知道有什么好大夫没有？』（尤氏这一套是早有准备的。虽系「家庭妇女」，生活在早早就有了苏秦、张仪的国家，不免无师自通地练就了春秋战国的外交口才。）

金氏听了这一番话，把方才在他嫂子家的那一团要向秦氏理论的盛气，早吓的丢在爪洼国去了。（势不足气盛，可哀可笑。气终难胜势，倒也转得快。）听见尤氏问他好大夫的话，连忙答道：『我们也没听见人说什么好大夫。如今听起大奶奶这个病来，定不得还是喜呢。嫂子倒别教人混治，倘若治错了，可了不得！』（曹氏写到这些下等人物的吃瘪，似有几分快意。盖曹本人出自上等也。写上等者的恶劣是悲情忏悔，写下等者的恶劣是出尽其洋相。）尤氏道：『正是呢。』

说话之间，贾珍从外进来，见了金氏，便问尤氏道：『这不是璜大奶奶么？』金氏向前给贾珍请了安，贾珍向尤氏说：『让这大妹妹吃了饭去。』贾珍说着话便向那屋里去了。金氏此来原要向秦氏说秦钟欺负他侄儿的事，

听见秦氏有病，连提也不敢提了。况且贾珍尤氏又待的甚好，因转怒为喜的，（转怒为喜间，把侄儿扔到一边去了。）又说了一会子闲话，方家去了。

金氏去后，贾珍方过来坐下，问尤氏道：『今日他来有什么说的？』尤氏答道：『倒没说什么，一进来脸上倒像有些着恼的气色似的，及至说了半天话，又提起媳妇的病，他倒渐渐的气色平静了。你又叫留他吃饭，他听见媳妇这样的病，也不好意思只管坐着，又说几句闲话就去了，倒没有求什么事。如今且说媳妇这病，你那里寻一个好大夫给他瞧瞧要紧，可别耽误了。（尤氏与贾珍完全一致地关心秦氏的病，这与秦死后尤的态度成为对比。）现今咱们家走的这群大夫，那里要得，一个个都是听着人的口气儿，人怎么说，他也添几句文话儿说一遍，可倒殷勤的很，三四个人，一日轮流着，倒有四五遍来看脉。（对『这群大夫』的勾勒亦很传神，可怜可叹！）大家商量着立个方儿，吃了也不见效。倒弄得一日三五次换衣服，坐起来见大夫，其实于病人无益。（这一段对于庸医的批判令人想起此后贾母对于通俗文艺的批判。）』贾珍说：『可是这孩子也糊涂，何必又脱脱换换的，倘或又着了凉，更添一层病，还了得？任凭什么好衣裳，又值什么呢，孩子的身体要紧，就是一天穿一套新的，也不值什么。我正要告诉你：方才冯紫英来看我，他见我有些抑郁之色，问我是怎么了，我告诉他媳妇身子不大爽快，因为不得个好太医，断不透是喜是病，又不知有妨碍无妨碍，所以我心里实在着急。冯紫英因说他有一个幼时从学的先生，姓张名友士，学问最渊博，更兼医理极精，且能断人的生死。今年是上京给他儿子捐官，现在他家住着呢。这样看来，或者媳妇的病该在他手里除灾，也未可定。我已叫人拿我的名帖去请了。今日天晚，或未必来；明日想一定来的。且冯紫英又

回家亲替我求他，务必请他来瞧瞧的。等待张先生来瞧了再说罢。』

尤氏听说，心中甚喜，因说：『后日又是太爷的寿日，到底怎么办法？』贾珍说道：『我方才到了太爷那里去请安，兼请太爷来家受一受一家子的礼。太爷因说道：「我是清净惯了的，我不愿意往你们那是非场中去。你们必定说是我的生日，要叫我去受些众人的头，你莫如把我从前注的《阴骘文》给我好好的叫人写出来刻了，比叫我无故受众人的头还强百倍呢！倘或明日后日这两天一家子要来，你就在家里好好的款待他们就是了。也不必给我送什么东西来；连你后日也不必来。你要心中不安，你今日就给我磕了头去。倘或后日你又跟许多人来闹我，我必和你不依。」（贾敬先生的声气不像清净超脱——清净超脱还说这么多废话干啥？且说得相当俗。当俗人表白自己的清高的时候，就更俗得可厌了。本书对贾敬着笔甚少，居然几句话画出这样一副装腔作势、强词夺理的嘴脸，好文笔也！）如此说了，后日我是再不敢去的了。且叫来升来，吩咐他预备两日的筵席。』尤氏因叫了贾蓉来：『吩咐来升照例预备两日的筵席，要丰丰富富的。你再亲自到西府里请老太太、大太太、二太太和你琏二婶子来逛逛。你父亲今日又听见一个好大夫，已打发人请去了，想明日必来。你可将他这些日子的病症细细的告诉他。』

贾蓉一一答应着出去了。正遇着方才到冯紫英家去请那先生的小子回来了，因回道：『奴才方才到了冯大爷家，拿了老爷名帖请那先生去，那先生说道：「方才这里大爷也向我说了，但是今日拜上一天的客，才回到家，此时精神实在不能支持，就是去到府上也不能看脉，须得调息一夜，明日务必到府。」他又说：「医学浅薄，本不敢当此重荐，因冯大爷和府上既已如此说了，又不得不去，你先代我回明大人就是了。大人的名帖着实不敢当。」

仍叫奴才拿回来了。哥儿替奴才回一声儿。」贾蓉复转身进去，回了贾珍和尤氏的话，方出来叫了来升，吩咐预备两日的筵席的话。来升听毕，自去照例料理，不在话下。

且说次日午间，门上人回道：「请的那张先生来了。」贾珍遂延入大厅坐下，茶毕，方开言道：「昨日承冯大爷示知老先生人品学问，又兼深通医学，小弟不胜钦敬。」张先生道：「晚生粗鄙下士，知识浅陋。昨因冯大爷示知，大人家第谦恭下士，又承呼唤，敢不奉命。但毫无实学，倍增汗颜。」贾珍道：「先生不必过谦，就请先生进去看看儿妇，仰仗高明，以释下怀。」（一个张先生来诊病，也写得这样啰嗦，但不这样写就无法：一、加深对于秦氏患病的印象；二、显示贾府的「派」，这派不仅表现在礼仪、吃、喝、享受上，也表现在就医上。就医状况，也说明着人的等级分野，古已如此！）

于是贾蓉同了进去，到了内室，见了秦氏，向贾蓉说道：「这就是尊夫人了？」贾蓉道：「正是。请先生坐下，让我把贱内的病症说一说再诊脉何如？」那先生道：「依小弟意下，竟先看脉，再请教病源为是。我初造尊府，本也不知道什么，但我们冯大爷务必叫小弟过来看看，小弟所以不得不来。如今看了脉息，看小弟说得是不是，再将这些日子的病势讲一讲，大家斟酌一个方儿。可用不可用，那时大爷再定夺就是了。」贾蓉道：「先生实在高明，如今恨相见之晚。就请先生看一看脉息可治不可治，得以使家父母放心。」（这里，对于医生诊断的期望竟与对于占卜的期望一致，显得很天真可爱。至今这种占卜式期望仍然未衰。这可能也反映一种没有文化的人考一考有文化的人的心理——对文化人的文化——或专业知识、专业能力既敬畏，又心存疑惑——不是蒙我的吧？）于是家下媳妇们，捧过大迎枕来，一面给秦氏靠着，一面拉着袖口，露出手腕来。这先生方伸手按在右手脉上，调息了至数，凝神细诊了半刻工夫，换过左手，

亦复如是。诊毕了，说道：「我们外边坐罢。」

贾蓉于是同先生到外边屋里炕上坐了，一个婆子端了茶来。（端茶云云，从整体来看似是个「废情节」，但没有这几句话就没有一种真切的氛围。）贾蓉道：「先生请茶。」茶毕，问道：「先生看这脉息，还治得治不得？」先生道：「看得尊夫人脉息：左寸沉数，左关沉伏；右寸细而无力，右关虚而无神。其左寸沉数者，乃心气虚而生火；左关沉伏者，乃肝家气滞血亏。右寸细而无力者，乃肺经气分太虚；右关虚而无神者，乃脾土被肝木克制。心气虚而生火者，应现今经期不调，夜间不寐。肝家血亏气滞者，应胁下痛胀，月信过期，心中发热。肺经气分太虚者，头目不时眩晕，寅卯间必然自汗，如坐舟中。脾土被肝木克制者，必定不思饮食，精神倦怠，四肢酸软。（作者借机卖弄其医学知识。越是云山雾罩的理论，越像高论。）据我看这脉，当有这些症候才对。或以这个的为喜脉，则小弟不敢闻命矣。」

旁边一个贴身伏侍的婆子道：「何尝不是这样呢！真正先生说得如神，倒不用我们说的了。（视诊断如猜谜卜卦，医学如何能科学化？）如今我们家里现有好几位太医老爷瞧着呢，都不能说得这样真切。有的说道是喜，有的说道是病；这位说不相干，这位又说怕冬至前后，总没有个真著话儿。求老爷明白指示指示。」

那先生说：「大奶奶这个症候，可是众位耽搁了。要在初次行经的时候就用药治起，只怕此时已全愈了。如今既是把病耽误到这地位，也是应有此灾。依我看起来，病倒尚有三分治得。吃了我这药看，若是夜间睡的着觉，那时又添了二分拿手了。（医生最懂不能打保票，事事需留有余地的。因为他的责任大，验证快，换句话说，大吹大擂者多是不负责

任且内容无法验证者。）据我看这脉息，大奶奶是个心性高强、聪明不过的人；但聪明太过，则不如意事常有，则思虑太过。（从症状扯到性格，兼而行『心理咨询』之事了。）此病是忧虑伤脾，肝木忒旺，经血所以不能按时而至。大奶奶从前行经的日子问一问，断不是常缩，必是常长的。是不是？』这婆子答道：『可不是！从没有缩过，或是长两日三日，以至十日不等，都长过的。』先生听道：『是了，这就是病源了。从前若能以养心调气之药服之，（养心调气，其实有利百病。）何至于此！这如今明显出一个水亏火旺的症候来。待我用药看。』于是写了方子，递与贾蓉，上写的是：

益气养荣补脾和肝汤

人参　白术　云苓　熟地　归身　白芍　川芎　黄芪　香附米　醋柴胡　怀山药　真阿胶　延胡索　炙甘草　引用建莲子七粒去心　大枣二枚

贾蓉看了说：『高明的很。还要请教先生：这病与性命终久有妨无妨？』先生笑道：『大爷是最高明的人，人病到这个地位，非一朝一夕的症候了。吃了这药，也要看医缘了。（医缘，医生也要：一、听从命运的；二、听从偶然性的。）依小弟看来，今年一冬是不相干的。总是过了春分，就可望全愈了。』贾蓉也是个聪明人，也不往下细问了。

于是贾蓉送了先生去了，方将这药方子并脉案都给贾珍看了，说的话也都回了贾珍并尤氏了。尤氏向贾珍道：『从来大夫不像他说的痛快，想必用药不错的。』（这反映了中国人的又一个特殊观念：职业的是低下的，业余的方是高超的。）贾珍道：『人家原来不是混饭吃久惯行医的人，因为冯紫英我们相好，他好容易求了他来的。既有了这个人，媳妇的病或者就能好了。他那方子上有人参，就用前日买的那一斤好的罢。』贾蓉听说毕话，方出来叫人抓药去煎给秦氏吃。不知秦氏服了此药，病势如何，且听下回分解。

茗烟闹书房后璜大奶奶、金荣及其母亲的表现，如不参透人情世故，是写不了这样准确的。太医诊病一节，为何占了这么多篇幅？当然，中医是中华传统文化的重要组成部分，作为封建社会生活及中华文化的百科全书，『红』是必须谈医的。写长篇，确实也是需要多方面的涉猎的。长篇而写得单调、单一、干瘪，不如不写。除此之外，对于秦可卿这个人物，从临床诊断上再次强调了她好强、敏感、多思虑的特点。有没有进一步的含意呢？

闹学堂，是教育危机与继承人危机。权受辱，是人际关系危机，腐烂化与矛盾的掩盖。秦氏生病，是健康危机、生命危机。人生长恨水长东，各种不同的流水，都向着灭亡的深渊流去。

第十一回　庆寿辰宁府排家宴　见熙凤贾瑞起淫心

话说是日贾敬的寿辰，贾珍先将上等可吃的东西，稀奇的果品，装了十六大捧盒，着贾蓉带领家下人送与贾敬去，向贾蓉说道：『你留神看太爷喜欢不喜欢，你就行了礼起来，说：「父亲遵太爷的话，不敢前来，在家里率领合家都朝上行了礼了。」』贾蓉听罢，即率领家人去了。（千头万绪，各有来历，前后呼应，逐渐适应，读者被引进了小说世界，任凭作者的导游矣。）

这里渐渐的就有人来。先是贾琏、贾蔷来看了各处的座位，并问：『有什么玩意儿没有？』家人答道：『我们爷算计，本来请太爷今日来家，所以并未敢预备玩意儿。前日听见太爷不来了，现叫奴才们找了一班小戏儿并一档子打十番的，都在园子里戏台上预备着呢。』（文艺活动根据日历安排。）

次后邢夫人、王夫人、凤姐儿、宝玉都来了，贾珍并尤氏接了进去。尤氏的母亲已先在这里，大家见过了，彼此让了坐。贾珍尤氏二人递了茶，因笑道：『老太太原是个老祖宗，我父亲又是侄儿，这样年纪、日子，原不敢请他老人家来；但是这时候，天气又凉爽，满园的菊花盛开，（前边写宝玉在薛姨妈处吃酒时似是冬日，现是次年秋季么？『红』对时间的顺序并不清楚交代，『话说是日』云云，『是日』是哪一日谁也不清楚。山中方七日，世上已千年。反正立足大荒山无稽崖青埂峰，贾府的这些吃吃喝喝玩玩乐乐不过是瞬间的事。这也是心理时间，作为永不复返的往事，所有的旧事都停留在一个平面上。）请老祖宗过来散散闷，看看众儿孙热热闹闹的，是这个意思。谁知老祖宗又不赏脸。』凤姐儿未等王夫人开口，先说道：『老太太昨日还说要来呢，因为晚上看见宝兄弟吃桃儿，他老人家又嘴馋了，吃了有大半个，五更天时候就一连起来了两次，今日早晨略觉身子倦些。因叫我回大爷，今日断不能来了，说有好吃的要几样，还要很烂的呢。』贾珍听了笑道：『我说老祖宗是爱热闹的，今日不来，必定有个缘故，这就是了。』

王夫人说：『前日听见你大妹妹说，蓉哥媳妇身上有些不大好，到底是怎么样？』（奇。这样不厌其烦地翻过来倒过去地研究秦氏的病，所为何来？）尤氏道：『他这个病得的也奇。上月中秋还跟着老太太、太太玩了半夜，回家来好好的。到了二十日以后，一日比一日觉懒了，又懒得吃东西，这将近有半个多月。经期又有两个月没来。』邢夫人接着说道：『莫是喜罢？』（秦氏的病史有猫儿腻，不明说，绕着走。）

正说着，外头人回道：『大老爷、二老爷并一家的爷们都来了，在厅上呢。』贾珍连忙出去了。这里尤氏复说：『从前大夫也有说是喜的，昨日冯紫英荐了他幼时从学过的一个先生，医道很好，瞧了说不是喜，是一个大症候。（大症候。）昨日开了方子，吃了一剂药，今日头眩的略好些，（头眩，官能性的抑或器质性的疾患呢？）别的仍不见大效。』凤姐儿道：『我说他不是十分支持不住，今日这样日子，再也不肯不挣扎着上来。』尤氏道：『你是初三日在这里见他的，他强扎挣了半天，也是因你们娘儿两个好的上头，还恋恋的舍不得去。』（顺便回溯一下日前的交往，粗粗一带，意思意思即可。）凤姐听了，眼圈儿红了一会子，方说道：『「天有不测风云，人有旦夕祸福。」（甚不祥矣，何言重若是焉？）这点年纪，倘或因这病上有个长短，人生在世，有什么趣儿！』（已经在世，无趣又如何？）

正说着，贾蓉进来，给邢夫人、王夫人、凤姐儿都请了安，方回尤氏道：『方才我给太爷送吃食去，并回说我父亲在家伺候老爷们，款待一家子的爷们，遵太爷的话，并不敢来。太爷听了甚欢喜，说：「这才是。」叫告诉父亲母亲，好生伺候太爷太太们，叫我好生伺候叔叔婶子并哥哥们。（不管多么肮脏腐烂，形式上的礼貌，从不或缺。礼的核心是对于尊卑长幼秩序的肯定与尊重。）还说：「那《阴骘文》叫他们急急刻出来，印一万张散人。」（一面是声色犬马，一面是《阴骘文》，这样的虚伪令人作呕！）我将此话都回了我父亲了。我这会子还得快出去打发太爷们并合家爷们吃饭。』凤姐儿说：『蓉哥儿，你且站着。你媳妇今日到底是怎么着？』贾蓉皱皱眉儿说道：『不好么！婶子回来瞧瞧去就知道了。』于是贾蓉出去了。

这里尤氏向邢夫人王夫人道：『太太们在这里吃饭，还是在园子里吃去？有小戏儿现在园子里预备着呢。』王夫人向邢夫人道：『这里很好。』尤氏就吩咐媳妇婆子们：『快摆饭来。』门外一齐答应了一声，都各人端各人的去了。不多时，摆上了饭。尤氏让邢夫人王夫人并他母亲都上坐了，他与凤姐儿宝玉侧席坐了。邢夫人王夫人道：『我们来，原为给大老爷拜寿，这岂不是我们来过生日来了么？』凤姐儿说：『大老爷原是好养静的，已修炼成了，也算得是神仙了。太太们这么一说，就叫作「心到神知」了。』（也算对俚语套语的创造性活用，为一句套话注入新的生命。能老话新用的人脑子都较通达灵活。甚至有『伟人』气质。）一句话说得满屋里都笑起来。（经过前十回垫底，特别是经过茗烟闹书房的绘声绘色的描写——乃是前十回的一个小高潮，读者也充分接受了『红』的真实性、可信性、主动性。这样，一切身边琐事、细节，便进一步凿实了这种真实、可信、生动的性质，使一部长篇显得更加细密结实。同样的细节，在短篇中颇宜删却。）

尤氏的母亲并邢夫人、王夫人、凤姐儿都吃了饭，漱了口，净了手；才说要往园子里去，贾蓉进来向尤氏道：『老爷们并各位叔叔哥哥们都吃了饭了。大老爷说家里有事，二老爷是不爱听戏又怕人闹的慌，都去了。别的一家子爷们被琏二叔并蔷大爷都让过去听戏去了。方才南安郡王、东平郡王、西宁郡王、北静郡王四家王爷，并镇国公牛府等六家，忠靖侯史府等八家，都差人持名帖送寿礼来，俱回了我父亲，先收在账房里，礼单都上了档子了，领谢名帖都交给各家的来人了，来人也各照例赏过，都让吃了饭去了。（贵族们的横向联系当然有，但多在大面上『按例』进行，未有——不得有、不敢有真正的交流。这也就使得越是大户人家越封闭。）母亲该请二位太太、老娘、婶子都过园子里去坐着罢。』尤氏道：『也是才吃完了饭，就要过去了。』凤姐儿说：『我回太太，我先瞧瞧蓉哥媳妇去，我再过去罢。』（又是秦氏的事！一个模模糊糊的病秦氏，无处不在，无时不在。）王夫人道：『很是。我们都要去瞧瞧，倒怕他嫌我们闹的慌，说我们问他好罢。』尤氏道：『好妹妹，媳妇听你的话，你去开导开导他，（开导什么？即安慰么？有没有现代人的开导——解开思想疙瘩——含义？）我也放心。你就快些过园子里来。』宝玉也要跟着凤姐儿去瞧秦氏，王夫人道：『你看看就过去罢，那是侄儿媳妇呢。』于是尤氏请了王夫人邢夫人并他母亲都过会芳园去了。

凤姐儿宝玉方和贾蓉到秦氏这边来。进了房门，悄悄的走到里间房内，秦氏见了要站起来，凤姐儿说：『快别起来，看头晕。』于是凤姐儿紧行了两步，拉住了秦氏的手，说道：『我的奶奶！怎么几日不见，就瘦的这样了！』于是就坐在秦氏坐的褥子上。宝玉也问了好，在对面椅子上坐了。贾蓉叫：『快倒茶来，婶子和二叔在上房还未吃茶呢。』

秦氏拉着凤姐儿的手，强笑道：『这都是我没福。这样人家，公公婆婆当自家的女儿似的待。婶娘，你侄儿虽说年轻，却是他敬我，我敬他，从来没有红过脸儿。就是一家子的长辈同辈之中，除了婶子不用说了，别人也从无不疼我的，也从无不和我好的。（无不疼，无不好者，除了秦氏也许还有宝玉、宝钗，谁能说得这样满呢？）如今得了这个病，把我那要强的心一分也没有了。公婆面前未得孝顺一天儿；就是婶娘这样疼我，我就有十分孝顺的心，如今也不能够了。我自想着，未必熬得过年去。』（很悲观。阴影来自何方？）

宝玉正把眼瞅着那『海棠春睡图』并那秦太虚写的『嫩寒锁梦因春冷，芳气袭人是酒香』的对联，不觉想起在这里睡晌觉时梦到『太虚幻境』的事来。（含糊其词了。太虚幻境之事，亦是与秦氏之事。）正在出神，听得秦氏说了这些话，如万箭攒心，那眼泪不觉流下来了。（对秦氏的正面描写惜墨如金，但别人的反应却如此强烈，更加吊读者胃口。）凤姐儿见了，心中十分难过，但恐病人见了这个样子反添心酸，倒不是来开导他劝解他的意思了，因说：『宝玉，你忒婆婆妈妈的了。他病人不过是这样说，那里就到这田地？况且年纪又不大，略病病就好。』又回向秦氏道：『你别胡思乱想，岂不是自家添病了么？』贾蓉道：『他这病也不用别的，只吃得下些饭食就不怕了。』凤姐儿道：『宝兄弟，太太叫你快些过去呢。你倒别在这里只管这么着，倒招得媳妇儿也心里不好过。太太那里又惦着你。』因向贾蓉说道：『你先同你宝叔叔过去，我还略坐坐呢。』贾蓉听说，即同宝玉过会芳园去了。

这里凤姐儿又劝解了一番，又低低说了许多衷肠话儿。（许多衷肠话儿是什么意思？凤姐的热点在于管理、在于权，丝毫看不出秦有志于斯或有利害于斯呀。）尤氏打发人来两三遍，凤姐儿才向秦氏说道：『你好生养着，我再来看你罢。合该你这病要好了，所以前日遇着这个好大夫，再也是不怕的了。』秦氏笑道：『任凭他是神仙，「治了病治不了命」。婶子，我知道这病不过是挨日子的。』凤姐儿说道：『你只管这么想，这那里能好呢？总要想开了才好。况且听得大夫说，若是不治，怕的是春天不好。咱们若是不能吃人参的人家，也难说了；你公公婆婆听见治得好，别说一日二钱人参，就是二斤也吃得起。好生养着罢，我就过园子里去了。』秦氏又道：『婶子，恕我不能跟过去了。闲了的时候还求过来瞧瞧我呢，咱们娘儿们坐坐，多说几句闲话儿。』凤姐儿听了，不觉眼圈儿又红了，说道：『我得了闲儿必常来看你。』（所有的小说，都多少带有『揭秘』的性质，问题是秘中又有隐情，又有不可揭者，反过来拼命写表面的可揭已揭的东西，令人狐疑。）

于是带着跟来的婆子媳妇们，并宁府的媳妇婆子们，从里头绕进园子的便门来。只见：

黄花满地，白柳横坡。小桥通若耶之溪，曲径接天台之路。石中清流滴滴，篱落飘香；树头红叶翩翩，疏林如画。西风乍紧，犹听莺啼；暖日常暄，又添蛩语。遥望东南，建几处依山之榭；近观西北，结三间临水之轩。笙簧盈座，别有幽情；罗绮穿林，倍添韵致。（是凤姐忽然来了赏秋的雅兴？还是作者急转，急于转换镜头，不想再继续方才的画面和话题呢？老是吞吞吐吐地渲染秦氏的病，作者也累了么？这一段赋何等突兀！）

凤姐儿正看园中景致，一步步行来，正赞赏时，猛然从假山石后走出一个人来，向前对凤姐说道：『请嫂子安。』凤姐儿猛一惊，将身往后一退，说道：『这是瑞大爷不是？』贾瑞说道：『嫂子连我也不认得了？』凤姐儿道：『不是不认得，猛然一见，想不到是大爷在这里。』贾瑞道：『也是合该我与嫂子有缘。我方才偷出了席，在这里清净地方略散一散，不想就遇见嫂子。这不是有缘么？』一面说着，一面拿眼睛不住的观看凤姐。（从闹书房一节提到了贾瑞，想不到他的用场竟在此处。）

凤姐是个聪明人，见他这个光景，如何不猜八九分呢，因向贾瑞假意含笑道：『怪不得你哥哥常提你，说你好。今日见了，听你这几句话儿，就知道你是个聪明和气的人了。这会子我要到太太们那边去呢，不得合你说话，等闲了再会罢。』贾瑞道：『我要到嫂子家里去请安，又怕嫂子年轻，不肯轻易见人。』凤姐又假笑道：『一家骨肉，说什么年轻不年轻的话。』贾瑞听了这话，心中暗喜，因想道：『再不想今日得此奇遇！』那情景越发难堪了。凤姐儿说道：『你快去入席去罢，看他们拿住了，罚你的酒。』贾瑞听了，身上已木了半边，慢慢的走着，一面回过头来看。凤姐儿故意的把脚放迟了，见他去远了，心里暗忖道：『这才是「知人知面不知心」呢。那里有这样禽兽的人？他果如此，几时叫他死在我手里，他才知道我的手段！』（不是提防，而是杀机，这样的进攻型思路！）

于是凤姐儿方移步前来。将转过了一重山坡儿，见两三个婆子慌慌张张的走来，见凤姐儿，笑道：『我们奶奶见二奶奶不来，急的了不得，叫奴才们又来请奶奶来了。』凤姐儿说：『你们奶奶就是这样「急脚鬼」似的。』凤姐儿慢慢的走着，问：『戏文唱了几出了？』那婆子回道：『唱了八九出了。』（一出多少时间？凤姐与秦氏做了长时间的谈话了么？）说话之间，已到天香楼后门，见宝玉和一群丫头小子们那里玩呢，凤姐儿说：『宝兄弟，别忒淘气了。』一个丫头说道：『太太们都在楼上坐着呢，请奶奶就从这边上去罢。』

凤姐儿听了，款步提衣上了楼，尤氏已在楼梯口等着。尤氏笑道：『你们娘儿两个忒好了，见了面总舍不得来了。你明日搬来和他同住罢。你坐下，我先敬你一钟。』于是凤姐儿至邢夫人王夫人前告坐。尤氏拿戏单来让凤姐儿点戏，凤姐儿说：『太太们在上，如何敢点。』邢夫人王夫人说道：『我们和亲家太太点了好几出了，你点几出好的我们听。』凤姐儿立起身来答应了，接过戏单来，从头一看，点了一出《还魂》，（亦不祥。）一出《弹词》，递过戏单来，说：『现在唱的这《双官诰》完了，再唱这两出，也就是时候了。』王夫人道：『可不是呢，也该趁早叫你哥哥嫂子歇歇，他们心里又不静。』尤氏说道：『太太们又不是常来的，娘儿们多坐一会子去，才有趣，

天气还早呢。』（这些小节写得绵密。）凤姐儿立起身来望楼下一看，说：『爷们都往那里去了？』傍边一个婆子道：『爷们才到凝曦轩，带了十番那里吃酒去了。』凤姐儿道：『在这里不便宜，背地里又不知干什么去了。』尤氏笑道：『那里都像你这么正经人呢。』（尤氏与凤姐关系亦不同寻常，才能开这种玩笑。）

于是说说笑笑，点的戏都唱完了，方才撤下酒席，摆上饭来。（吃吃喝喝，说说笑笑，玩玩乐乐，神仙过的日子。）吃毕，大家才出园子来，到上房坐下，吃了茶，才叫预备车，向尤氏的母亲告了辞。尤氏率同众姬妾并家人媳妇们送出来，贾珍率领众子侄在车旁侍立，都等候着，见了邢王二夫人，说道：『二位婶子明日还过来逛逛。』王夫人道：『罢了，我们今儿整坐了一日，也乏了，明日也要歇歇。』（享福也累人。）于是都上车去了。贾瑞犹不住拿眼看着凤姐儿。贾珍进去后，李贵才拉过马来，宝玉骑上，随了王夫人去了。

这里贾珍同一家子的弟兄子侄吃过饭，方大家散了。次日，仍是众族人等闹了一日，不必细说。此后凤姐不时亲自来看秦氏。秦氏也有几日好些，（秦氏的病，越说越弄不清楚。）也有几日歹些。贾珍、尤氏、贾蓉好不焦心。

且说贾瑞到荣府来了几次，偏都值凤姐儿往宁府去了。这年正是十一月三十日冬至。到交节的那几日，贾母、王夫人、凤姐儿日日差人去看秦氏。回来的人都说：『这几日未见添病，也未见甚好。』王夫人向贾母说：『这个症候，遇着这样节气，不添病就有指望了。』贾母说：『可是呢，好个孩子，若有个长短，岂不叫人疼死。』（悲凉之雾渐渐起了。）说着，一阵心酸，向凤姐儿说道：『你们娘儿们好了一场，明日大初一，过了明日，你再看看他去。你细细的瞧瞧他的光景，倘或好些儿，你回来告诉我。那孩子素日爱吃什么，你也常叫人送些给他。』（贾母对秦

氏亦如此关心，不知是否辈分关系，不便前去探望。）

凤姐儿一一答应了。到初二日，吃了早饭，来到宁府里，看见秦氏光景，虽未添甚病，但那脸上身上的肉都瘦干了。（瘦干云云，还是病重了。王夫人指望云云，恐是自慰而已。）于是和秦氏坐了半日，说了些闲话，又将这病无妨的话开导了一番。秦氏道：『好不好，春天就知道了。如今现过了冬至，又没怎么样，或者好的了也未可知。（中国式的整体观念，注意疾病与季节、地域、气候……外部世界的联系。）婶子回老太太、太太放心罢。昨日老太太赏的那枣泥馅的山药糕，我倒吃了两块，倒像克化的动的似的。』凤姐儿道：『明日再给你送来。我到你婆婆那里瞧瞧，就要赶着回去回老太太话去。』秦氏道：『婶子替我请老太太、太太的安罢。』（病不忘礼。）

凤姐儿答应着就出来了，到了尤氏上房坐下。尤氏道：『你冷眼瞧媳妇是怎么样？』凤姐儿低了半日头，说道：『这个就没法儿了。你也该将一应的后事给他料理料理，冲一冲也好。』（又发展了一步。）尤氏道：『我也暗暗的叫人预备了。就是那件东西不得好木头，且慢慢的办着呢。』于是凤姐儿吃了茶，说了一会子话儿，说道：『我要快些回去回老太太的话去呢。』尤氏道：『你可缓缓的说，别吓着老人家。』凤姐儿道：『我知道。』

于是凤姐儿就回来了，到家中，见了贾母，说：『蓉哥媳妇请老太太安，给老太太磕头，说他好些了。求老祖宗放心罢。他再略好些，还给老祖宗磕头请安来呢。』贾母道：『你看他是怎么样？』凤姐儿说：『暂且无妨，精神还好呢。』贾母听了，沉吟了半日，（贾母并非不懂，向她汇报的情况是尽量淡化了的，沉吟半日，说明她知道了严重性。）因向凤姐说：『你换换衣服歇歇去罢。』

疾病与人物密不可分，到此，已写到宝钗、黛玉的病，二人的病特别是黛玉的病更是人物性格与命运的组成部分。此后晴雯的病是重要关节。熙凤的病也很重要，是大家族没落的一个征兆。可卿的病泼墨如水地写来写去。欲为其暴死做铺垫或打掩护吗？借此突出她的地位与人缘吗？总觉得作者似在声东击西，以病写一些隐情。把表面文章做足，把侧面（众人对秦病的关注）做足，其他则留下谜给读者。写病如此占篇幅，不知是否也反映了当时卫生保健条件之差与贵族人家卫生习惯之差，病正如烦恼，与生俱来。宜哉，生、老、病、死，并列为人生的大问题也。

凤姐儿答应着出来，见过了王夫人，到了家中，平儿将烘的家常衣服给凤姐儿换上了。凤姐儿坐下，问：『家中没有什么事么？』平儿方端了茶来，递了过去，说道：『没有什么事。就是那三百两银子的利银，旺儿媳妇送进来，我收了。（三百两银子，一带而过，一闪而过，也就行了。更有神龙（神凤）见首不见尾的效果。绵密处见生活，粗略处见关节。）再有瑞大爷使人来打听奶奶在家没有，他要来请安说话。』凤姐儿听了，哼了一声，说道：『这畜生合该作死，看他来了怎么样！』平儿回道：『这瑞大爷是为什么只管来？』凤姐儿遂将九月里在宁府园子里遇见他的光景，他说的话，都告诉了平儿。平儿说道：『「癞蛤蟆想吃天鹅肉」，没人伦的混账东西，起这样念头，叫他不得好死！』（凤姐与平儿的同仇敌忾，反映的究竟是一种道德激情，捍卫贞节的激情呢，还是一种由于妇女的普遍的性压抑处境，包括思想、心理上的压抑，而变态成为的『性仇视』呢？）凤姐儿道：『等他来了，我自有道理。』不知贾瑞来时作何光景，且听下回分解。

秦氏的病如雾一样地弥漫烘染扩散。贾瑞的事则单刀直入，直奔陷阱毒穴。

第十二回 王熙凤毒设相思局 贾天祥正照风月鉴

话说凤姐正与平儿说话，只见有人回说：『瑞大爷来了。』凤姐命：『请进来罢。』贾瑞见请，心中暗喜。（这边假笑，那边便暗喜，死定了。）见了凤姐，满面陪笑，连连问好。凤姐儿也假意殷勤让坐让茶。贾瑞见凤姐如此打扮，越发酥倒，因饧了眼问道：『二哥哥怎么还不回来？』凤姐道：『不知什么缘故。』贾瑞笑道：『别是路上有人绊住了脚，舍不得回来了？』凤姐道：『可知男人家见一个爱一个也是有的。』贾瑞笑道：『嫂子这话错了，我就不是这样。』凤姐笑道：『像你这样的人能有几个呢，十个里也挑不出一个来。』（进展未免太快、太直、太粗了。贾瑞居然能上圈套，除不了解凤姐与自己色胆迷了心窍外，盖贾府的性混乱已成了气候，三勾两搭便到手，不足为奇。）

贾瑞听了，喜的抓耳挠腮，又道：『嫂子天天也闷的很。』凤姐道：『正是呢，只盼个人来说话解解闷儿。』贾瑞笑道：『我倒天天闲着，若天天过来替嫂子解解闷儿，可好么？』凤姐笑道：『你哄我呢，你那里肯往我这里来？』（『那里肯』云云，太假。凤姐红里透紫，又漂亮，何谈『肯往我这里』？按说，凤姐做假似不会这么小儿科。想是曹公鄙弃这一段故事，写其不堪，略过分了些。变成了一个假白痴与一个真白痴的对话。）贾瑞道：『我在嫂子面前，若有一句谎话，天打雷劈！只因素日闻得人说，嫂子是个利害人，在你跟前一点也错不得，所以唬住了我。如今见嫂子是个有说有笑极疼人的，我怎么不来？死了也情愿。』凤姐笑道：『果然你是个明白人，比贾蓉兄弟两个强远了。我看他那样清秀，只当他们心里明白，谁知竟是两个糊涂虫，一点不知人心。』

贾瑞听了这话，越发撞在心坎儿上，由不得又往前凑一凑，觑着眼看凤姐的荷包，又问：『戴着什么戒指？』凤姐悄悄的道：『放尊重些，别叫丫头们看见了。』贾瑞如听纶音佛语一般，忙往后退，凤姐笑道：『你该去了。』贾瑞道：『我再坐一坐儿，好狠心的嫂子！』凤姐儿又悄悄的道：『大天白日人来人往，你就在这里也不方便。你且去，等到晚上起了更你来，悄悄的在西边穿堂儿等我。』贾瑞听了，如得珍宝，忙问道：『你别哄我。但是那里人过的多，怎么好躲呢？』凤姐道：『你只放心，我把上夜的小厮们都放了假，两边门一关，再没别人了。』（也可以从另一个角度分析，封建社会不准有真正的爱情，作为爱情的一种蹩脚的形式——偷情，也无法发育充分，呈现出这样一种连嫖妓的『丰富性』都不如的寒伧状态。）

贾瑞听了，喜之不尽，忙忙的告辞而去，心内以为得手。（多少混蛋死于自『以为得手』。）盼到晚上，果然黑地里摸入荣府，趁掩门时，钻入穿堂。果见漆黑无一人来往，往贾母那边去的门已倒锁，只有向东的门未关。贾瑞侧耳听着，半日不见人来。忽听『咯噔』一声，东边的门也关上了。（这样小儿科的『局』，居然也上钩。）贾瑞急的也不敢则声，只得悄悄出来，将门撼了撼，关得铁桶一般。此时要出去，亦不能了，南北俱是大墙，要跳也无攀援。这屋内又是过门风，空落落的；现是腊月天气，夜又长，朔风凛凛，侵肌裂骨，一夜几乎不曾冻死。好容易盼到早晨，只见一个老婆子先将东门开了进来，去叫西门，贾瑞瞅他背着脸，一溜烟抱了肩跑出来，（『抱了肩跑』，是冻坏了的样子。）幸而天气尚早，人都未起，从后门一径跑回家去。

原来贾瑞父母早亡，只有他祖父代儒教养。那代儒素日教训最严，不许贾瑞多走一步，生怕他在外吃酒赌钱，有误学业。今忽见他一夜不归，只料定他在外非饮即赌，嫖娼宿妓，那里想到这段公案？因此也气了一夜。贾瑞也捻着一把汗，少不得回来撒谎，只说：『往舅舅家去的，天黑了，留我住了一夜。』代儒道：『自来出门，非禀我不敢擅出，如何昨日私自去了？据此也该打，何况是撒谎！』因此发狠按倒打了三四十板，还不许吃饭，令他跪在院内读文章，定要补出十天工课来方罢。贾瑞先冻了一夜，又遭了打，且饿着肚子，跪在风地里读文章，其苦万状。（到处有肉体与灵魂的虐待。）

此时贾瑞邪心未改，再不想到凤姐捉弄他。过了两日，得了空，仍来找寻凤姐。凤姐故意抱怨他失信，贾瑞急的赌咒发誓。凤姐因他自投罗网，少不得再寻别计令他知改，（令他知改？岂不成了教育帮助了？凤姐也搞置之死地而后生的教育么？）故又约他道：『今日晚上，你别在那里了。你在我这房后小过道儿里那间空屋里等我，可别冒撞了。』贾瑞道：『果真？』凤姐道：『谁来哄你，你不信就别来。』贾瑞道：『来，来，来！死也要来！』（决心大。）凤姐道：『这会子你先去罢。』贾瑞料定晚间必妥，此时先去了。凤姐在这里便点兵派将，设下圈套。

那贾瑞只盼不到晚上，偏生家里亲戚又来了，吃了晚饭才去，那天已有掌灯时分；又等他祖父安歇，方溜进荣府，直往那夹道中屋子里来等着，热锅上蚂蚁一般。只是左等不见人影，右闻也没声响，心中害怕，不住猜疑道：『别是又不来了，又冻一夜不成？』正自胡猜，只见黑魆魆的来了一个人，贾瑞便意定是凤姐，不管皂白，等那人刚至面前，便如饿虎扑食、猫儿捕鼠的一般，抱住叫道：『亲嫂子，等死我了！』说着，抱到屋里炕上就亲嘴扯裤子，满口里『亲爹』『亲娘』的乱叫起来。（人与各种动物都有性欲，唯有人专门嘲笑、丑化、践踏自身的欲望。）

那人只不做声，贾瑞扯了自己的裤子，硬帮帮就想顶入。（『硬帮帮』云云，传神，糟蹋人。放开了想，到处都有硬帮帮就想顶入的蠢货。）忽见灯光一闪，只见贾蔷举着个蜡台，照道：『谁在屋里？』只见炕上那人笑道：『瑞大叔要肏我呢。』贾瑞一见，却是贾蓉，直臊得无地可入，不知怎样才好，回身就要跑脱，被贾蔷一把揪住，（可知贾蓉贾蔷与凤姐的关系。虽未写这种关系。）道：『别走！如今琏二婶已经告到太太跟前，说你调戏他，他暂用了脱身计哄你在那边等着。太太气死过去，因叫我来拿你。快跟我去见太太去！』贾瑞听了，魂不附体，只说：『好侄儿！你只说没有我，我明日重重的谢你。』贾蔷道：『放你不值什么，只不知你谢我多少？况且口说无凭，写一文契来。』贾瑞道：『这如何落纸呢？』贾蔷道：『这也不妨，写一个赌钱输了外人账目，借头家银若干两便罢。』贾瑞道：『这也容易。』贾蔷翻身出来，纸笔现成，拿来命贾瑞写。他两个做好做歹，只写了五十两银子，画了押，贾蔷收起来。然后撕罗贾蓉，贾蓉先咬定牙不依，只说：『明日告诉族中的人评评理。』贾瑞急的至于叩头。贾蔷做好做歹的，也写了一张五十两欠契才罢。（出了问题给以经济补偿，也是『红』已有之。）

贾蔷又道：『如今要放你，我就担着不是。老太太那边的门早已关了，老爷正在厅上看南京来的东西，那一条路定难过去，如今只好走后门。若这一走，倘或遇见了人，连我也不好。等我先去探探，再来领你。这屋里你还藏不住，少时就来堆东西，等我寻个地方。』说毕，拉着贾瑞，仍息了灯，出至院外，摸着大台阶底下，说道：『这窝儿里好，只蹲着，别哼一声，等我来再走。』说毕，二人去了。

贾瑞此时身不由己，只得蹲在那台阶下。正要盘算，只听头顶上一声响，嗯喇喇一净桶尿粪从上面直泼下来，可巧浇了他一身一头。（贾蓉贾蔷的行为固有受凤姐委托的任务性，也有恶作剧并勒索打劫的流氓性，更颇有一种寻开心的趣味性。这种趣味性的一大内容就是借抓奸惩淫来发泄自己的『力比多』。中国人对抓奸最有兴趣，似乎内中有无穷的乐趣。既然自己的性本能得不到舒畅与满足，便极其残酷地取笑折磨别人的性本能。一个过于热心地抓奸惩淫的人群，心理上是病态的，人际关系也是危险的。）贾瑞掌不住『嗳哟』一声，忙又掩住口，不敢声张，满头满脸皆是尿屎，浑身冰冷打战。只见贾蔷跑来叫：『快走，快走！』贾瑞方得了命，三步两步从后门跑到家中，天已三更，只得叫开了门。家人见他这般光景，问：『是怎么了？』少不得撒谎说：『天黑了，失脚掉在茅厕里了。』一面即到自己房中更衣洗濯，心下方想到凤姐玩他，因此发一回狠；再想想凤姐的模样儿标致，又恨不得一时搂在怀里，胡思乱想，一夜也不曾合眼。自此虽想凤姐，只不敢往荣府去了。

贾蓉等两个常常来索银子，他又怕祖父知道。正是相思尚且难禁，况又添了债务，日间工课又紧，他二十来岁人，尚未娶亲，还来想着凤姐不得到手，未免有些『指头儿告了消乏』；更兼两回冻恼奔波，因此三五下里夹攻，不觉就得了一病：心内发膨胀，口内无滋味，脚下如绵，眼中似醋，黑夜作烧，白日常倦，下溺遗精，嗽痰带血。诸如此症，不上一年，都添全了。（贾瑞病情十分明白。与秦氏病情不明不白大不相同。）于是不能支持，一头躺倒，合上眼还只梦魂颠倒，满口说胡话，惊怖异常。百般请医疗治，诸如肉桂、附子、鳖甲、麦冬、玉竹等药，吃了有几十斤下去，也不见个动静。

倏又腊尽春回，这病更又沉重。代儒也着了忙，各处请医疗治，皆不见效。因后来吃『独参汤』，代儒如何

有这力量，只得往荣府里来寻。王夫人命凤姐秤二两给他。凤姐回说：『前儿新近替老太太配了药，那整的太太又说留着送杨提督的太太配药，偏偏昨儿我已着人送了去了。』王夫人道：『就是咱们这边没了，你打发个人往那边你婆婆处问问，或是你珍大哥哥那里有，寻些来，凑着给人家，吃好了，救人一命，也是你们的好处。』凤姐应了，也不遣人去寻，只将些渣末凑了几钱，命人送去。（何至于斯？难道也是迫害狂？）只说：『太太送来的，再也没了。』然后向王夫人只说：『都寻了来，共凑了有二两送去。』

那贾瑞此时要命心急，无药不吃，只是白花钱，不见效。忽然这日有个跛足道人来化斋，（不是癞头就是跛足，有点残疾崇拜——怪异崇拜的味道。所以子不语怪、力、乱、神。子不语，留下了老百姓语、小说家语的可能性。也是网开一面。）只称专治冤业之症。贾瑞偏生在内听了，直着声叫喊，说：『快去请进那位菩萨来救命！』一面在枕头上叩首。众人只得带了那道士进来。贾瑞一把拉住，连叫『菩萨救我！』那道士叹道：『你这病非药可医。我有个宝贝与你，你天天看此时，命可保矣。』说毕，从搭裢中取正反面皆可照人的镜子来，背上面錾着『风月宝鉴』四字。递与贾瑞道：『这物出自太虚幻境空灵殿上，警幻仙子所制，专治邪思妄动之症，有济世保生之功。所以带他到世上来，单与那些聪明杰俊、风雅王孙等看照。千万不可照正面，只照他的背面，要紧，要紧！三日后吾来收取，管叫你好了。』说毕，徜徉而去，众人苦留不住。

贾瑞接了镜子，想道：『这道士倒有意思，我何不照一照试试？』想毕，拿起『风月宝鉴』来，向反面一照，只见一个骷髅立在里面，唬得贾瑞连忙掩了，骂：『道士混账！如何吓我！我倒再照照正面是什么？』想着，便

将正面一照，只见凤姐站在里面点手儿叫他。（禁欲主义是有其临床依据的，一些人缺乏性知识，既有性亢奋的问题，又有性无能的问题，乃视性为洪水猛兽，视红粉为骷髅。）贾瑞心中一喜，荡悠悠觉得进了镜子，与凤姐云雨一番，凤姐仍送他出来。到了床上，『嗳哟』了一声，一睁眼，镜子从新又掉过来，仍是反面立着一个骷髅。贾瑞自觉汗津津的，底下已遗了一滩精。心中到底不足，又翻过正面来，只见凤姐还招手叫他，他又进去，如此三四次。到了这次，刚要出镜子来，只见两个人走来，拿铁锁把他套住，拉了就走。贾瑞叫道：『让我拿了镜子再走……』只说这句，就再不能说话了。

旁边伏侍的人，只见他先还拿着镜子照，落下来，仍睁开眼拾在手内，末后镜子掉下来，便不动了。众人上来看看，已咽了气，身子底下冰凉精湿一大滩精。这才忙着穿衣抬床。代儒夫妇哭的死去活来，大骂道士：『是何妖镜！若不毁此镜，遗害人世不小。』遂命架火来烧。只听空中叫道：『谁教你们瞧正面了的！你们自己以假为真，为何烧我此镜？』忽见那镜从空中飞出。代儒出门看时，只见还是那个跛足道人，喊道：『谁毁「风月宝鉴」？』说着，抢了镜子，眼看他飘然去了。（这一段表现，令人不敢恭维，说明曹氏的情欲道德观实不高明，幸亏这一段故事还有表现凤姐的性格与手段的功能。）

红粉骷髅，风月宝鉴，其实很陈腐。这样戒淫并无说服力。当然，没有任何精神内容的偷鸡摸狗之『情』令人鄙夷。虐杀故事成了喜剧，哪怕是针对贾瑞也罢，不知是否反映了对生命、对人的不以为意？人文主义思想还远远没有传过来。连写法也嫌残酷了。

当下代儒料理丧事，各处去报。三日起经，七日发引，寄灵铁槛寺，日后带回原籍。一时贾家众人齐来吊问，

荣府贾赦赠银二十两，贾政也是二十两，宁府贾珍亦有二十两，其余族中人贫富不一，或一二两三四两，不等。外又有各同窗家中分资，也凑了二三十两。（加在一起，略等于贾瑞写的欠据数字。未见贾蓉等来讨债，看来意在惩戒取乐，还不是专向钱看。）代儒家道虽然淡薄，得此帮助，倒也丰丰富富完了此事。

谁知这年冬底，林如海因为身染重疾，写书来特接林黛玉回去。贾母听了，未免又加忧闷，只得忙忙的打点黛玉起身。（宝黛感情的第一阶段——童稚阶段就此结束。）宝玉大不自在，争奈父女之情，也不好拦阻。于是贾母定要贾琏送他去，仍叫带回来。一应土仪盘费，不消繁说，自然要妥贴。作速择了日期，贾琏与林黛玉辞别了众人，带领仆从，登舟往扬州去了。要知端的，且听下回分解。

贾瑞的故事，是『红』中写得相当低俗的一个故事，不是说贾瑞俗，作者写得也相当俗，但不悖离全书主旨。这说明，雅中可能言俗，鹰有时飞得与鸡一样低，俗中难有真雅，鸡飞不了鹰那样高。

第十三回　秦可卿死封龙禁尉　王熙凤协理宁国府

话说凤姐儿自贾琏送黛玉往扬州去后，心中实在无趣，（对贾瑞之死毫无反应么？哪怕是拍手称快称解恨？心中无趣与此事无关么？）每到晚间，不过同平儿说笑一回就胡乱睡了。这日夜间正和平儿灯下拥炉倦绣，早命浓熏绣被，二人睡下，屈指算行程该到何处，不知不觉已交三鼓。平儿已睡熟了。凤姐方觉睡眼微蒙，恍惚只见秦氏从外走进来，含笑说道：『婶婶好睡！我今日回去，你也不送我一程。因娘儿们素日相好，我舍不得婶婶，故来别你一别。

还有一件心愿未了，非告诉婶婶，别人未必中用。』（贾瑞才死就是秦氏之丧，偶然的吗？死神是『红』中一个重要角色。也许是最重要的角色。）

凤姐听了，恍惚问道：『有何心愿？只管托我就是了。』秦氏道：『婶婶，你是个脂粉队里的英雄，连那些束带顶冠的男子也不能过你，你如何连两句俗语也不晓得？常言：「月满则亏，水满则溢」，又道是「登高必跌重」。（此理甚好。可惜，仅仅是一般性的哲学解决不了贾家的命运问题，更不具有可操作性。）如今我们家赫赫扬扬，已将百载，一日倘或「乐极生悲」，若应了那句「树倒猢狲散」的俗语，岂不虚称了一世诗书旧族了！』凤姐听了此话，心胸不快，十分敬畏，忙问道：『这话虑的极是，但有何法可以永保无虞？』秦氏冷笑道：『婶婶好痴也！「否极泰来」，荣辱自古周而复始，岂人力所能常保的。但如今能于荣时筹画下将来衰时的世业，亦可以常永保全了。（秦氏此话，何等深刻高远！为何这样的话出自未见根底的秦氏之口？作为梦来说，则或可解释为实是王熙凤的思想意识或下意识，植到了秦氏身上。）即如今日诸事俱妥，只有两件未妥，若把此事如此一行，则后日可保永全了。』（这种思路，不仅凤姐敬畏，读者能不敬畏吗？敬畏完了，又有谁认真对待呢？）

凤姐便问：『何事？』秦氏道：『目今祖茔虽四时祭祀，只是无一定的钱粮；第二，家塾虽立，无一定的供给。依我想来，如今盛时固不缺祭祀供给，但将来败落之时，此二项有何出处？莫若依我定见，趁今日富贵，将祖茔附近多置田庄、房舍、地亩，以备祭祀供给之费皆出自此处，将家塾亦设于此。合同族中长幼，大家定了则例，日后按房掌管这一年的地亩钱粮、祭祀供给之事。如此周流，又无争竞，也没有典卖诸弊。便是有罪，己物可入官，这祭祀产业，连官也不入的。便败落下来，子孙回家读书务农，也有个退步，祭祀又可永继。若目今以为荣华不绝，不思后日，终非长策。（不但深远，而且具体入微。不但务虚，而且务实。究竟谁能这么高明呢？秦氏？凤姐？雪芹？是秦氏给凤姐托梦，抑是曹公给各位赫赫一时的读者『托梦』？）眼见不日又有一件非常喜事，真是烈火烹油、鲜花着锦之盛。要知道，也不过是瞬息的繁华，一时的欢乐，万不可忘了那「盛筵必散」的俗语。（哲学、智慧、远虑乃至神秘的预言，都是现实生活中的一种阴影。归根结底，确有令人不待见的理由。）若不早为后虑，只恐后悔无益了。』凤姐忙问：『有何喜事？』秦氏道：『天机不可泄漏。只是我与婶婶好了一场，临别赠你两句话，须要记着。』因念道：

三春去后诸芳尽，各自须寻各自门。（各寻各门，这里有一种终须散摊子的悲凉的英明预见。各寻各门，这又像一个威严的结论、谶语。）

凤姐还欲问时，只听二门上传事云板连叩四下，正是丧音，将凤姐惊醒。人回：『东府蓉大奶奶没了。』凤姐吓一身冷汗，出了一回神，只得忙穿衣往王夫人处来。彼时合府皆知，无不纳闷，都有些疑心。那长一辈的，想他素日孝顺；平辈的，想他素日和睦亲密；下一辈的，想他素日的慈爱，以及家中仆从老小，想他素日怜贫惜贱、爱老慈幼之恩，莫不悲号痛哭。

闲言少叙，却说宝玉因近日林黛玉回去，剩得自己落单，也不和人玩耍，每到晚间，便索然睡了。如今从梦中听见说秦氏死了，连忙翻身爬起来，只觉心中似戳了一刀的，不觉『哇』的一声，直喷出一口血来。（反应超常。）袭人等慌慌忙忙上来扶着，问：『是怎么样的？』又要回贾母去请大夫。宝玉道：『不用忙，不相干。这是急火攻心，血不归经。』（也是半个大夫。）说着便爬起来，要衣服换了，来见贾母，即时要过去。袭人见他如此，心中虽放不下，又不敢拦阻，只得由他罢了。贾母见他要去，因说：『才咽气的人，那里不干净；二则夜里风大，等明早再去不迟。』宝玉那里肯依。贾母命人备车多派跟从人役，拥护前来。

一直到了宁国府前，只见府门大开，两边灯火，照如白昼，乱烘烘人来人往。里面哭声摇山振岳。（围绕着秦氏的病、丧，各种人、事、气氛、反应直到梦境都写足，就是不涉事件本身。）宝玉下了车，忙忙奔至停灵之室，痛哭一番，然后见过尤氏。谁知尤氏正犯了胃痛旧症，睡在床上。然后又出来见贾珍。彼时贾代儒、代修、贾敕、贾效、贾敦、贾赦、贾政、贾琮、贾㻞、贾珩、贾珖、贾琛、贾琼、贾璘、贾蔷、贾菖、贾菱、贾芸、贾芹、贾蓁、贾萍、贾藻、贾蘅、贾芬、贾芳、贾蓝、贾菌、贾芝等都来了。（名单洋洋大观。）贾珍哭的泪人一般，（哭得泪人一般说明有问题，还是没有问题故而坦荡，不避讳呢？）正和贾代儒等说道：『合家大小，远近亲友，谁不知我这媳妇比儿子还强十倍。如今伸腿去了，可见这长房内绝灭无人了。』说着又哭起来。众人忙劝道：『人已辞世，哭也无益，且商议如何料理要紧。』贾珍拍手道：『如何料理，不过尽我所有罢了！』

正说着，只见秦业、秦钟并尤氏的几个眷属尤氏姊妹也都来了。贾珍便命贾琼、贾琛、贾璘、贾蔷四个人去陪客，一面吩咐去请钦天监阴阳司来择日，择准停灵七七四十九日，三日后开丧送讣闻。这四十九日，单请一百零八僧众在大厅上拜《大悲忏》，超度前亡后化鬼魂；另设一坛于天香楼，是九十九位全真道士，打十九日解冤洗业醮。然后停灵于会芳园中，灵前另外五十众高僧，五十位高道，对坛按七作好事。（规格这样高，不怕违例吗？高规格治丧，是礼数，是排场，也是转移和心理补偿。）

那贾敬闻得长孙媳死了，因自为早晚就要飞升，如何肯又回家染了红尘，将前功尽弃，故此并不在意，只凭贾珍料理。

且说贾珍恣意奢华，（恣意奢华，险矣哉！）看板时，几副杉木板皆不中意。可巧薛蟠来吊，因见贾珍寻好板，便说：『我们木店里有一副板，叫作什么樯木，出在潢海铁网山上，作了棺材，万年不坏。这还是当年先父带来的，原系忠义亲王老千岁要的，因他坏了事，就不曾用。（老千岁坏事，不能用这样的棺木。秦氏呢，秦氏莫非具有不曾坏事的千岁的『格』儿？）现在还封在店里，也没有人买得起。你若是要，就来看看。』贾珍听说甚喜，即命抬来。大家看时，只见帮底皆厚八寸，纹若槟榔，味若檀麝，以手扣之，声如玉石。（死了也还要炫耀一番。）大家称奇。贾珍笑问道：『价值几何？』薛蟠笑道：『拿着一千两银子只怕没买处，什么价不价，赏他们几两银子作工钱便是了。』（无价以明珍贵，无价便干脆不要价了，慷慨。薛蟠有给人好感处。）贾珍听说，忙谢不尽，即命解锯造成。贾政因劝道：『此物恐非常人可享，殓以上等杉木也罢了。』贾珍如何肯听。

忽又听见秦氏之丫鬟名唤瑞珠的，见秦氏死了，也触柱而亡。此事可罕，（曰：『可罕！』奇事连连。）合族都称叹。贾珍遂以孙女之礼殡殓之，一并停灵于会芳园之登仙阁。又有小丫鬟名宝珠的，因秦氏无出，乃愿为义女，请任摔丧驾灵之任。贾珍甚喜，即时传命，从此皆呼宝珠为小姐。那宝珠按未嫁女之礼，在灵前哀哀欲绝。

于是合族人丁并家下诸人都各遵旧制行事，自不得错乱。贾珍因想道：『贾蓉不过是黉门监，灵幡上写时不好看，便是执事也不多。』因此，心下甚不自在。可巧这日正是首七第四日，早有大明宫掌宫内监戴权，先备了祭礼遣人来，次坐了大轿，打道鸣锣，亲来上祭。（极不寻常。内监岂可轻易吊唁贾珍一个儿媳妇？）贾珍忙接陪，让坐至逗蜂轩献茶。贾珍心中早打定了主意，因而趁便就说要与贾蓉捐个前程的话。戴权会意，因笑道：『想是为丧礼上风光些？』贾珍忙道：『老内相所见不差。』戴权道：『事倒凑巧，正有个美缺。如今三百员龙禁尉缺了两员，昨儿襄阳侯的兄弟老三来求我，现拿了一千五百两银子送到我家里。你知道，咱们都是老相好，不拘怎么样，看着他爷爷的分上，胡乱应了。还剩了一个缺，谁知永兴节度使冯胖子要求与他孩子捐，我就没工夫应他。既是咱们的孩子要捐，快写个履历来。』贾珍忙命人写了一张红纸履历来。（所谓履历，只写乃祖乃父，个人项目极少，倒也反映习俗与观念。）戴权看了，上写着：

江南应天府江宁县监生贾蓉，年二十岁。曾祖，原任京营节度使世袭一等神威将军贾代化。祖，丙辰科进士贾敬。父，世袭三品爵威烈将军贾珍。

戴权看了，回手递与一个贴身的小厮收了，道：『回去送与户部堂官老赵，说我拜上他起一张五品龙禁尉的票，再给个执照，（执照！）就把这履历填上，明日我来兑银子送过去。』小厮答应了。戴权告辞，贾珍款留不住，只得送出府门。临上轿，贾珍问：『银子还是我到部去兑，还是送入内相府中？』戴权道：『若到部里兑，你又吃亏了；不如平准一千两银子送到我家就完了。』（都是些什么猫儿腻？）贾珍感谢不尽，因说：『待服满后，亲带大小犬到府叩谢。』于是作别。

接着又听喝道之声，原来是忠靖侯史鼎的夫人来了。王夫人、邢夫人、凤姐等刚迎入正房，又见锦乡侯、川宁侯、寿山伯三家祭礼也摆在灵前；少时，三人下轿，贾珍接上大厅。如此亲朋你来我去，也不能计数。只这四十九日，宁国府街上一条白漫漫人来人往，花簇簇官来官去。

贾珍令贾蓉次日换了吉服，领凭回来。灵前供用执事等物俱按五品职例，灵牌疏上皆写『诰授贾门秦氏宜人之灵位』。会芳园临街大门洞开，两边起了鼓乐厅，两班青衣按时奏乐，一对对执事摆的刀斩斧齐。更有两面朱红销金大牌竖在门外，上面大书道：『防护内廷紫禁道御前侍卫龙禁尉』。（虽是有名无实的头衔，却也威风一下，自欺欺人一下。）对面高起着宣坛，僧道对坛，榜上大书『世袭宁国公冢孙妇防护内廷御前侍卫龙禁尉贾门秦氏宜人之丧。四大部洲至中之地，奉天永建太平之国，总理虚无寂静教门僧录司正堂虚万，总理元始正一教门道纪司正堂叶生等，敬谨修斋，朝天叩佛』以及『恭请诸「伽蓝」「揭谛」「功曹」等神，圣恩普锡，神威远振，四十九日销灾洗业平安水陆道场』等语，亦不及繁记。

从来红学家分析这些描写的可疑处，加上其他依据，如脂批，得出秦氏与贾珍有染，败露自缢身亡的结论，应是不差。但此回尤为要紧处在于秦氏托梦，简直是代表祖宗神灵说话，也代表作者曹雪芹说话，说的是金玉良言，完全符合『红』的立意主旨。『红』的内容充实丰富，作者自己意识到的立意远没有那样充实，几被秦氏说尽。秦氏到底是个什么人，充当了这样重要又这样恍惚的角色呢？

只是贾珍虽然心意满足，但里面尤氏又犯了旧疾，（又提尤氏的病。无一人问候与照料地位并非不重要的尤氏。活现尤氏远远不及秦氏之重要。）不能料理事务，惟恐各诰命来往，亏了礼数，怕人笑话，因此心中不自在。当下正忧虑时，因宝玉在侧，便问道：『事事都算安贴了，大哥哥还愁什么？』贾珍便将里面无人的话告诉了他。宝玉听说，笑道：『这有何难，我荐一个人与你，权理这一个月的事，管保妥当。』（宝玉极少过问这类事，这次大为破例。）贾珍忙问：『是谁？』宝玉见坐间还有许多亲友，不便明言，走向贾珍耳边说了两句。（宝玉居然介入人事与政务管理。）贾珍听了，喜不自胜，笑道：『这果然妥贴，如今就去。』说着，拉了宝玉，辞了众人，便往上房里来。

可巧这日非正经日期，亲友来的少，里面不过几位近亲堂客，邢夫人、王夫人、凤姐并合族中的内眷陪坐。闻人报：『大爷进来了。』唬的众婆娘『唿』的一声，往后藏之不迭，独凤姐款款站了起来。

贾珍此时也有些病症在身，二则过于悲痛，因拄个拐踱了进来。邢夫人等因说道：『你身上不好，又连日事多，该歇歇才是，又进来做什么？』贾珍一面拄拐，扎挣着要蹲身跪下请安道乏；邢夫人等忙叫宝玉搀住，命人挪椅子与他坐。贾珍不肯坐，因勉强陪笑道：『侄儿进来有一件事要求二位婶婶并大妹妹。』邢夫人等忙问：『什么事？』贾珍忙忙道：『婶婶自然知道，如今孙子媳妇没了，侄儿媳妇又病倒，我看里头着实不成体统。要屈尊大妹妹一个月，在这里料理料理，我就放心了。』邢夫人笑道：『原来为这个。你大妹妹现在你二婶婶家，只和你二婶婶说就是了。』（那夫人并不管事。）王夫人忙道：『他一个小孩子，何曾经过这些事，倘或料理不清，反叫人笑话，倒是再烦别人好。』贾珍笑道：『婶婶的意思，侄儿猜着了，是怕大妹妹劳苦了。若说料理不开，从小儿大妹妹玩笑时就有杀伐决断，（杀伐决断，自信，敢拍板，能迅速判明情况与抓住要害，确是领导人管理人的素质。）如今出了阁，在那府里办事，越发历练老成了。我想了这几日，除了大妹妹再无人可求了。（未提宝玉举荐，这里有不成文的规则，举荐等过程，属于暗箱作业。）婶婶不看侄儿与侄儿媳妇面上，只看死的分上罢！』说着流下泪来。

王夫人心中为的是凤姐未经过丧事，怕他料理不起，被人见笑；今见贾珍苦苦的说，心中已活了几分，却又眼看着凤姐出神。那凤姐素日最喜揽事，好卖弄能干，今见贾珍如此央他，心中早已允了；又见王夫人有活动之意，便向王夫人道：『大哥说得如此恳切，太太就依了罢。』王夫人悄悄的问道：『你可能么？』（王夫人对自己的娘家人，更有责任感。）凤姐道：『有什么不能！算外面的大事，已经大哥哥料理清了，不过是里面照管照管。便是我有不知的，问太太就是了。』（说得轻松，而且不忘乘机向『太太』致敬。）王夫人见说得有理，便不出声。贾珍见凤姐允了，又陪笑道：『也管不得许多了，横竖要求大妹妹辛苦辛苦。我这里先与大妹妹行礼，等完了事，我再到那府里去谢。』说着就作揖下去，凤姐连忙还礼不迭。

贾珍便命人取了宁国府对牌来，命宝玉送与凤姐，说道：『妹妹爱怎么就怎么样办，要什么，只管拿这个取去，也不必问我。只求别存心替我省钱，要好看为上；二则也同那府里一样待人才好，不要存心怕人抱怨。只这两件外，我再没不放心的了。』凤姐不敢就接牌，只看着王夫人。王夫人道：『你大哥既这么说，你就照看照看罢了。只是别自作主意，有了事打发人向你哥哥嫂子一声儿要紧。』宝玉早向贾珍手里接过对牌来，强递与凤姐了。（宝玉这么积极做甚？）贾珍又问：『妹妹还是住在这里，还是天天来呢？若是天天来，越发辛苦了。我这里赶着收拾出一个院落来，妹妹住过这几日，倒安稳。』凤姐笑说：『不用，那边也离不得我，倒是天天来的好。』贾珍说：『也罢，也罢。』然后又说了一回闲话，方才出去。

一时女眷散后，王夫人因问凤姐：『你今儿怎么样？』凤姐道：『太太只管请回去；我须得先理出一个头绪来才回得去呢。』王夫人听说，便先同邢夫人回去，不在话下。

这里凤姐来至三间一所抱厦内坐了，因想：头一件是人口混杂，遗失东西；二件，事无专管，临期推委；三件，需用过费，滥支冒领；四件，任无大小，苦乐不均；五件，家人豪纵，有脸者不能服钤束，无脸者不能上进。此五件实是宁府中风俗。（人、财、物的管理是行政管理的主要内容。凤姐对宁府事如此一清到底，是否早已有心插一杠子？）不知凤姐如何处治，且听下回分解。

写秦氏丧事，极尽铺张渲染，但对其死因背景则讳莫如深，其中道理，红学家所分析得极是，『淫丧天香楼』，因不宜写得太直露也。问题是，这样做，反而增添了艺术反差与艺术效果，疏与密，明与暗，直与曲，这样写起来平添一种魅力，一种神秘。秦氏托梦，十分旨要，紧接着被丧事排场所冲。这本身，也是一种象征性的悲剧。但知悼秦死，谁思秦良言？良言常常没有效用，即使临死的其言也善也往往收不到理想的效果。话语的力量，切不可估计过高呀！

从秦氏托梦的严重话题到秦氏猝死的丧葬，再到贾蓉的官皮，最后到凤姐的智力输出与宁府的政务管理，生活在冲淡思考，世俗在解构终极，事务在淹没悲情与背景。

第十四回　林如海捐馆扬州城　贾宝玉路谒北静王

话说宁国府中都总管来升闻知里面委请了凤姐，因传齐同事人等说道：『如今请了西府里琏二奶奶管理内事，倘或他来支取东西，或是说话，须要小心伺候。每日大家早来晚散，宁可辛苦这一个月，过后再歇息，不要把老脸面丢了。那是个有名的烈货，（『烈货』云云，难说恭敬。畏而不敬，必有后患。）脸酸心硬，一时恼了，不认人的。』众人都道：『有理。』又有一个笑道：『论理，我们里面也该得他来整治整治，都忒不像了。』正说着，只见来旺媳妇拿了对牌来领呈文经榜纸札，票上开着数目。众人连忙让坐倒茶，一面命人按数取纸；来旺抱着同来旺媳妇一路来至仪门，方交与来旺媳妇自己抱进去了。

凤姐即命彩明定造册簿；即时传了来升媳妇，要家口花名册查看；又限明日一早传齐家人媳妇进府听差。大概点了一点数目单册，问了来升媳妇几句话，便坐车回家。

至次日卯正二刻，便过来了。（勤政。）那宁国府中婆子媳妇闻得到齐，只见凤姐与来升媳妇分派众人执事，不敢擅入，在窗外打听。听见凤姐和来升媳妇道：『既托了我，我就说不得要讨你们嫌了。我可比不得你们奶奶好性儿，由着你们去。（丑话说在前头。）再不要说你们「这府里原是这么样」的话，如今可要依着我行，错我半点儿，管不得谁是有脸的，谁是没脸的，一例清白处治。』（有错必纠。）

为秦氏办丧事，是『红』前十几回的最大事件。一石多鸟。一、极写秦氏之死的特殊性，透露出重要的难言之隐，令多少红学家为之倾心。二、极写丧事之排场，再加上元春省亲，红白喜事都有了，是谓『而衰』之前的盛极。三、通过秦氏之死特别是死前托梦，写出了衰败的开始，秦氏是十二钗中第一个匆匆忙忙走上黄泉路的。四、给王熙凤提供了新的活动舞台。『新官上任三把火』，这个谚语本身也与文学上的陌生化原理相通。凤姐协理宁国府，是凤姐管理家政的顶峰，差不多是得心应手，且有余力搞『智力输出』，『都知爱慕此生才』！谈到写到管理的时候，不能否认『恶』的价值，如果王熙凤是个腐儒、道德家、善人，还怎么搞管理？）

说罢，便吩咐彩明念花名册，按名一个一个叫进来看视，一时看完，又吩咐道：『这二十个分作两班，一班十个，每日在内单管人客来往倒茶，别事不用他们管。这二十个也分作两班，每日单管本家亲戚茶饭，也不管别事。（分工必须明确。）这四十个人也分作两班，单在灵前上香添油，挂幔守灵，供饭供茶，随起举哀，也不管别事。这四个人专在内茶房收管杯碟茶器，若少了一件，四人分赔。这四个人单管酒饭器皿，少一件也是分赔。这八个人单管收祭礼。这八个单管各处灯油、蜡烛、纸札，我总支了来，交与你八个人，然后按我的定数再往各处分派。（定额管理。）这二十个每日轮流各处上夜，照管门户，监察火烛，打扫地方。这下剩的按房分开，某人守某处，某处所有桌椅古玩起，至于痰盒掸帚，一草一苗，或丢或坏，就问这看守之人赔补。（保卫组。）来升家的每日揽总查看，或有偷懒的，赌钱吃酒打架拌嘴的，立刻来回我。（拿摩温——领班。）你要徇情，经我查出，三四辈子的老脸，就顾不成了。如今都有了定规，以后那一行乱了，只和那一行说话。（责任制，或曰岗位责任制，『红』已有之。）素日跟我的人，随身俱有钟表，（钟表已用在管理上。）不论大小事，皆有一定时刻，横竖你们上房里也有时辰钟：卯正二刻我来点卯，巳正吃早饭，凡有领牌回事的，只在午初二刻。戌初烧过黄昏纸，我亲到各处查一遍，回来上夜的交明钥匙。第二日仍是卯正二刻过来。说不得咱们大家辛苦这几日罢，事完了，你们大爷自然赏你们的。』

说毕，又吩咐按数发与茶叶、油烛、鸡毛掸子、笤帚等物，一面又搬取家伙：桌围、椅搭、坐褥、毡席、痰

盒、脚踏之类，一面交发，一面提笔登记，某人管某处，某人领物件，开得十分清楚。众人领了去，也都有了投奔，不似先时只拣便宜的做，剩下苦差没个招揽。各房中也不能趁乱迷失东西。便是人来客往，也都安静了，不比先前紊乱无头绪，一切偷安窃取等弊，一概都蠲了。（写什么像什么，要什么有什么，写小说的人，哪样能够不知不详？）

凤姐自己威重令行，心中十分得意。（威重令行，十分得意，早把秦氏的警告丢到九霄云外了。）因见尤氏犯病，贾珍也过于悲哀，不大进饮食，自己每日从那府中熬了各样细粥，精美小菜，令人送来劝食。贾珍也另外吩咐每日送上等菜到抱厦内，单与凤姐。凤姐不畏勤劳，天天按时刻过来，点卯理事，独在抱厦内起坐，不与众妯娌合群，便有眷客来往，也不迎送。（公事公办，保持公事人员的严肃性。结果不免脱离了『妯娌』们，难以合群，留下后患了）

这日乃五七正五日上，那应佛僧正开方破狱，传灯照亡，参阎君，拘都鬼，延请地藏王，开金桥，引幢幡；那道士们正伏章申表，朝三清，叩玉帝，禅僧们行香，放焰口，拜水忏；（宗教为世俗效力。）又有十二众青年尼僧，搭绣衣，靸红鞋，在灵前默诵接引诸咒，十分热闹。（把丧事办得『十分热闹』，这也是一种移情，把悲哀转换为巨大的组织工作乃至炫耀风光的『宣传』活动。最后，丧事本身变成了目的，为举丧而举丧，反与死者并无瓜葛了。）

那凤姐知道今日人客不少，寅正便起来梳洗，及收拾完备，更衣盥手，喝了几口奶子，漱口已毕，正是卯正二刻了。来旺媳妇率领众人伺候已久。凤姐出至厅前，上了车，前面一对明角灯，上写『荣国府』三个大字。（写上『荣国府』三字，客卿身份更加高雅。无此三字，成了临时给宁国府打工的了。）来至宁府大门首，门灯朗挂，两边一色矗灯，照如白昼，白汪汪穿孝家人两行侍立。（何等威风，一样手续不能少。）请车至正门上，小厮退去，众媳妇上来揭起车帘。（揭车帘，

放到现在类似开车门和用手掌挡住门顶了。）凤姐下了车，一手扶着丰儿，两个媳妇执着手把灯照着，簇拥凤姐进来。宁府诸媳妇迎着请安。凤姐款步入会芳园中登仙阁灵前，一见棺材，那眼泪恰似断线之珠，滚将下来。（礼仪表达了感情也规范了感情。这里的哭，已经不是纯然的个人感情流露，也就是可以控制的了。）院中多少小厮垂手侍立，伺候烧纸。凤姐吩咐一声：『供茶烧纸。』只听一棒锣鸣，诸乐齐奏，早有人端过一张大圈椅来，放在灵前，凤姐坐了放声大哭，于是里外上下男女都接声嚎哭。

一时贾珍、尤氏令人劝止，凤姐方止住。来旺媳妇倒茶漱口毕，凤姐方起身，别了族中诸人，自入抱厦来，按名查点，各项人数，俱已到齐，只有迎送亲客上的一人未到，即令传来。那人惶恐，凤姐冷笑道：『原来是你误了！你比他们有体面，所以不听我的话。』那人回道：『小的天天都来的早，只有今儿来迟了一步，求奶奶饶过初次。』正说着，只见荣国府中的王兴媳妇来了，在前探头。凤姐且不发放这人，却问：『王兴媳妇来作什么？』王兴媳妇近前说：『领牌取线，打车轿网络。』说着将个帖儿递上去，凤姐令彩明念道：『大轿两顶，小轿四顶，车四辆，共用大小络子若干根，每根用珠儿线若干斤。』凤姐听了数目相合，便命彩明登记，取荣国对牌掷下。王兴家的去了。

凤姐方欲说话，只见荣国府的四个执事人进来，都是要支取东西领牌的，凤姐命他们要了帖念过，听了一共四件，因指两件道：『这个开销错了，再算清了来领。』（必须自己昭昭，才能纠正昏昏。）说着将帖子掷下。那二人扫兴而去。

凤姐因见张材家的在旁，因问：『你有什么事？』张材家的忙取帖子回道：『就是方才车轿围做成，领取裁缝工银若干两。』凤姐听了，收了帖子，命彩明登记。待王兴交过，得了买办的回押相符，然后与张材家的去领。一

面又命念那一件，是为宝玉外书房完竣，支领买纸料糊裱。凤姐听了，即命收帖儿登记，待张材家的缴清再发。（放一放先不处理，更其威严。让你在旁边看着怎样有条不紊而又严明不苟地管理，你就更知罪了。今日之交通警对于违章者常用此法，叫你在一旁等候。）

凤姐便说道：『明儿他也来迟了，后儿我也来迟了，将来都没有人了。本来要饶你，只是我头一次宽了，下次就难管别人了，不如开发的好。』登时放下脸来，命带出去打二十板子，众人见凤姐动怒，不敢怠慢，拉出去照数打了，进来回复。凤姐又掷下宁府对牌：『说与来升革他一月银米。』（这样的厉害，完全必要。）吩咐：『散了罢。』众人方各自办事去了。那时被打之人亦含羞饮泣而去。彼时荣宁两处领牌交牌人往来不绝，凤姐又一一开发了。于是宁府中人才知凤姐利害，自此各兢兢业业，不敢偷安，不在话下。

如今且说宝玉，因见人众，恐秦钟受了委曲，遂同他往凤姐处坐坐，凤姐正吃饭，见他们来了，笑道：『好长腿子，快上来罢。』宝玉道：『我们偏了。』凤姐道：『在这边外头吃的，还是那边吃的？』宝玉道：『同那些浑人吃什么！原是那边，我还同老太太吃了来的。』说着，一面归坐。（宝玉与凤姐也有一种联盟关系，难怪日后赵姨娘要对此二人下手。他们是一种地位的联盟，而不是行动的联盟。）

凤姐饭毕，就有宁府一个媳妇来领牌，为支取香灯，凤姐笑道：『我算着你今儿该来支取，想是忘了。要终久忘了，自然是你包出来，都便宜了我。』（你忘了，我没有忘，证明我比你清楚，比你强。）那媳妇笑道：『何尝不是忘了，方才想起来，再迟一步，也领不成了。』说毕，领牌而去。

一时登记交牌。秦钟因笑道：『你们两府里都是这牌，倘别人私造一个，支了银子去，怎样？』凤姐笑道：『依你说，都没王法了。』宝玉因道：『怎么咱们家没人来领牌子支东西？』凤姐道：『他们来领的时候，你还做梦呢。我且问你，你们多早晚才念夜书呢？』宝玉道：『巴不得今日就念才好，只是他们不快给收拾出书房，也是没法。』凤姐笑道：『你请我一请，包管就快了。』宝玉道：『你也不中用，他们该做到那里的时候，自然有了。』凤姐道：『就是他们做也得要东西，搁不住我不给对牌，是难的。』宝玉听说，便猴向凤姐身上立刻要牌，说：『好姐姐，给他们牌，好支东西去收拾。』凤姐道：『我乏的身上生疼，还搁的住你这揉搓？你放心罢，今儿才领了裱糊纸去了，他们该要的还等叫去呢，可不傻了？』宝玉不信，凤姐便叫彩明查册子与宝玉看了。（宝玉凤姐，一对得到殊宠者，也是惺惺惜惺惺。祝他们永远生活在娇宠之中。）

正闹着，人来回：『苏州去的昭儿来了。』凤姐急命唤进来。昭儿打千儿请安。凤姐便问：『回来做什么的？』昭儿道：『二爷打发回来的。林姑老爷是九月初三巳时没的。二爷带了林姑娘同送林姑爷的灵到苏州，大约赶年底就回来。二爷打发小的来报个信请安，讨老太太示下。还瞧瞧奶奶家里好，叫把大毛衣服带几件去。』凤姐道：『你见过别人了没有？』昭儿道：『都见过了。』说毕，连忙退出。凤姐向宝玉笑道：（也是贾家亲眷，为何对其过世只是『笑道』，就没有什么礼仪的表示或举动要做么？死个女婿就比死个孙子媳妇这样不重要么？）『你林妹妹可在咱们家住长了。』宝玉道：『了不得，想来这几日他不知哭的怎样呢。』说着蹙眉长叹。

凤姐见昭儿回来，因当着人不及细问贾琏，心中自是记挂，待要回去，奈事未了毕，少不得耐到晚上回来，复令昭儿进来，细问一路平安信息。（也算『先公后私』。）连夜打点大毛衣服，和平儿亲自检点包裹，再细细追想所需何物，一并包裹交付昭儿。又细细吩咐昭儿：『在外好生小心伏侍，不要惹你二爷生气。时时劝他少吃酒，别勾引他认得混账女人，——回来打折你的腿！』（凤姐也有力不从心处。）赶乱完了，天已四更，睡下，不觉早又天明，忙梳洗过宁府来。

那贾珍因见发引日近，亲自坐车带了阴阳司吏，往铁槛寺来踏看寄灵所在；又一一嘱咐住持色空好生预备新鲜陈设，多请名僧，以备接灵使用。色空忙备晚斋，贾珍也无心茶饭，因天晚不及进城，竟在净室胡乱歇了一夜。次日早，便进城来料理出殡之事；一面又派人先往铁槛寺，连夜另外修饰停灵之处，并厨茶等项，接灵人口。

凤姐见发引日期在限，也预先逐细分派料理，一面又派荣府中车轿人从跟王夫人送殡，又顾自己送殡去占下处。目今正值缮国公诰命亡故，邢王二夫人又去吊祭送殡；西安郡王妃华诞，送寿礼；镇国公诰命生了长男，预备贺礼；又有胞兄王仁连家眷回南，一面写家信禀叩父母并带往之物；又有迎春染疾，每日请医服药，看医生启帖、症源、药案……各事冗杂，亦难尽述。（活着一批寄生虫，什么事不干，也还是各事冗杂，难以尽述。）又兼发引在迩，因此忙的凤姐茶饭无心，坐卧不宁。刚到了宁府，荣府的人跟着；既回到荣府，宁府的人又跟着。凤姐虽然如此之忙，只因素性好胜，惟恐落人褒贬，故费尽精神，筹划得十分整齐，于是合族中上下无不称叹。（秦氏好胜已极，凤姐犹好胜。鲁迅曾斥『褒贬』此词之不通，但口语上确有此言，『红』已有之。）

这日伴宿之夕，里面两班小戏并要百戏的，与亲朋等伴宿。尤氏犹卧于内室，一切张罗款待，独是凤姐一人周全承应。合族中虽有许多妯娌，也有羞口羞脚的，也有不惯见人的，也有惧贵怯官的，种种之类，俱不及凤姐举止大雅，言语典则，因此也不把众人放在眼里，挥霍指示，任其所为，旁若无人。一夜中灯明火彩，客送官迎，百般热闹，（又是百般热闹，成了过节了。）自不用说。至天明吉时，一般六十四名青衣请灵。前面铭旌上大书：『诰封一等宁国公冢孙妇防护内廷紫禁道御前侍卫龙禁尉享强寿贾门秦氏宜人之灵柩。』一应执事陈设，皆系现赶新做出来的，一色光彩夺目。宝珠自行未嫁女之礼，摔丧驾灵，十分哀苦。（宝珠太聪明了，也就不用死了。）

那时官客送殡的，有镇国公牛清之孙现袭一等伯牛继宗，理国公柳彪之孙现袭一等子柳芳，齐国公陈翼之孙世袭三品威镇将军陈瑞文，治国公马魁之孙世袭三品威远将军马尚，修国公侯晓明之孙世袭一等子侯孝康；缮国公诰命亡故，其孙石光珠守孝不得来。这六家与荣宁二家，当日所称『八公』的便是。余者更有南安郡王之孙，西宁郡王之孙，忠靖侯史鼎，平原侯之孙世袭二等男蒋子宁，定城侯之孙世袭二等男兼京营游击谢鲲，襄阳侯之孙世袭二等男戚建辉，景田侯之孙五城兵马司裘良。（也是名单堆砌，这类文字在小说中本不应出现，但不这样出现就缺乏实感，不知算不算『红』已有之的『新闻主义』『新新闻主义』。亦即故意把小说文体往非小说、反小说文体上靠。）余者锦乡伯公子韩奇、神武将军公子冯紫英，陈也俊、卫若兰等，诸王孙公子，不可枚数。（这么多VIP，百姓如何负担！）堂客也共有十来顶大轿，三四十顶小轿，连家下大小轿车辆，不下百十余乘。连前面各色执事陈设百耍，浩浩荡荡，一带摆三四里远。（呜呼，盛哉，太不一般了。）

走不多时，路上彩棚高搭，设席张筵，和音奏乐，俱是各家路祭：第一棚是东平王府的祭，第二棚是南安郡王的祭，第三棚是西宁郡王的祭，第四棚便是北静郡王的祭。原来这四王，当日惟北静王功最高，及今子孙犹袭王爵。

现今北静王世荣年未弱冠，生得美秀异常，情性谦和。近闻宁国府冢孙妇告殂，因想当日彼此祖父有相与之情，同难同荣，未以异姓相视，因此不以王位自居，上日也曾探丧上祭，如今又设路奠，命麾下各官在此伺候。自己五更入朝，公事一毕，便换了素服，坐大轿，鸣锣张伞而来，至棚前落轿，手下各官两旁拥侍，军民人众不得往还。

一时只见宁府大殡浩浩荡荡、压地银山一般从北而至。早有宁府开路传事人等报与贾珍，贾珍急命前面住扎，同贾赦贾政三人连忙迎来，以国礼相见。世荣在轿内欠身，含笑答礼，仍以世交称呼接待，并不自大。贾珍道：『犬妇之丧，累蒙郡驾下临，荫生辈何以克当。』世荣笑道：『世交至谊，何出此言？』遂回头令长府官主祭代奠。贾赦等一旁还礼，复亲身来谢恩。世荣十分谦逊，因问贾政道：『那一位是衔玉而诞者？（人人都相信并一再提及这个衔玉而诞，也就像是真有其事了。也算『坚持就是胜利』。）久欲得一见为快，今日一定在此，何不请来。』贾政忙退下，命宝玉更衣，领他前来谒见。那宝玉素闻得世荣是个贤王，且才貌俱全，风流跌宕，不为官俗国体所缚，每思相会，只是父亲拘束，不克如愿，今见反来叫他，自是喜欢。一面走，一面瞥见那世荣坐在轿内，好个仪表。不知近前又是怎样，且听下回分解。

（把丧事办得如此辉煌，是荒唐，是作孽，也是异化！）

第十五回　王凤姐弄权铁槛寺　秦鲸卿得趣馒头庵

话说宝玉举目见北静王世荣头上戴着净白簪缨银翅王帽，穿着江牙海水五爪龙白蟒袍，系着碧玉红鞓带，面如美玉，目似明星，真好秀丽人物。（称道男人的秀丽，不知算不算宝玉的同性恋倾向？）宝玉忙抢上来参见，世荣忙从轿内伸手挽住。见宝玉戴着束发银冠，勒着双龙出海抹额，穿着白蟒箭袖，围着攒珠银带；面若春花，目如点漆。世荣笑道：『名不虚传，果然如「宝」似「玉」。』问：『衔的那宝贝在那里？』宝玉见问，连忙从衣内取出，递与世荣。世荣细细看了，又念了那上头的字，因问：『果灵验否？』贾政忙道：『虽如此说，只是未曾试过。』世荣一面极口称奇，一面理顺彩绦，亲自与宝玉带上，又携手问宝玉几岁，现读何书。宝玉一一答应。

世荣见他语言清朗，谈吐有致，一面又向贾政笑道：『令郎真乃龙驹凤雏，非小王在世翁前唐突，将来「雏凤清于老凤声」，未可量也。』（一要重视仪表，二要重视应对，虽表面了些，仍有一定道理——与进化论、优生学或不无关系。如果交接邀赏的尽是些獐头鼠目、形容萎琐、口齿不清之辈，确也不好想象。）贾政陪笑道：『犬子岂敢谬承金奖，赖藩郡余祯，果如所言，亦荫生辈之幸矣。』世荣又道：『只是一件，令郎如此资质，想老太夫人自然钟爱；但吾辈后生，甚不宜溺爱，溺爱则未免荒失了学业。昔小王曾蹈此辙，想令郎亦未必不如是也。若令郎在家难以用功，不妨常到寒第，小王虽不才，却多蒙海内众名士凡至都者，未有不垂青目，是以寒第高人颇聚，令郎常去谈谈会会，则学问可以日进矣。』（此事似无下文，想是这一番话作者写时带有临场发挥的随机性。）贾政忙躬身答道：『是。』

世荣又将腕上一串念珠卸下来，递与宝玉，道：『今日初会，仓卒无敬贺之物，此系圣上所赐蕶苓香念珠一串，权为贺敬之礼。』（这样赠礼，更亲切珍贵。）宝玉连忙接了，回身奉与贾政。贾政与宝玉一齐谢过了。于是贾赦、贾珍等一齐上来请回舆，世荣道：『逝者已登仙界，非碌碌你我尘寰中人也。小王虽上叨天恩，虚邀郡袭，岂可越仙輀而进也？』贾赦等见执意不从，只得告辞谢恩回来，命手下人掩乐停音，将殡过完，方让北静王过去。不在话下。

且说宁府送殡，一路热闹非常。（风光已经压过了哀悼，得意已经冲淡了痛苦。）刚至城门，又有贾赦、贾政、贾珍诸同寅属下各家祭棚接祭，一一的谢过，然后出城，竟奔铁槛寺大路而来。彼时贾珍带着贾蓉来到诸长辈前让坐轿上马，因而贾赦一辈的各自上了车轿，贾珍一辈的也将要上马；凤姐因记挂着宝玉，怕他在郊外纵性不服家人的话，贾政管不着，惟恐有闪失，因此命小厮来唤他。宝玉只得到他车前。凤姐笑道：『好兄弟，你是个尊贵人，同女孩儿一般人品，别学他们猴在马上。下来，咱们姐儿两个同车，岂不好么？』宝玉听说，便下了马，爬上凤姐车内，二人说笑前进。（凤姐与宝玉，二位都是贾府中受殊宠之人，故常『拍拖』结伴，宜哉赵姨娘视二人为死敌也。）

不一时，只见那边两骑马直奔凤姐车，下马扶车回道：『这里有下处，奶奶请歇歇更衣。』凤姐命请邢王二夫人示下，那二人回说：『太太们说不歇了，叫奶奶自便。』凤姐便命歇歇再走。小厮带着轿马岔出人群，往北而来。宝玉在车内急命请秦相公。那时秦钟正骑着马随他父亲的轿，忽见宝玉的小厮跑来请他去打尖，秦钟远看这宝玉所骑的马，搭着鞍笼，随着凤姐的车往北而去，便知宝玉同凤姐一车，自己也带马赶上来，同入一庄门内。

那庄农人家，无多房舍，妇女无处回避；那些村姑庄妇见了凤姐、宝玉、秦钟的人品衣服，几疑天人下降。凤姐进入茅屋，先命宝玉等出去玩玩。宝玉会意，因同秦钟带了小厮们各处游玩。凡庄家动用之物，俱不曾见过的，宝玉见了，都以为奇，不知何名何用。小厮中有知道的，一一告诉了名目并其用处。宝玉听了，因点头道：

『怪道古人诗上说：「谁知盘中餐，粒粒皆辛苦。」正为此也。』（这也算接触体验一下生活。居然能想到此，『下去』一下，终受教育。）一面说，一面又到一间房内，见炕上有个纺车，越发以为稀奇。小厮们又告以：『纺线织布之用。』宝玉便上炕摇转作耍，只见一个村妆丫头，约有十七八岁，走来说道：『别弄坏了！』众小厮忙喝住了，宝玉也住了手，说道：『我因不曾见过，所以试一试玩儿。』那丫头道：『你们不会，我转给你瞧。』秦钟暗拉宝玉道：『此卿大有意趣。』（秦钟更显流气。）宝玉推他道：『再胡说，我就打了。』说着，只见那丫头纺起线来，果然好看。（劳动也有审美价值。）忽听那边老婆子叫道：『二丫头，快过来！』那丫头丢了纺车，一径去了。

宝玉怅然无趣。只见凤姐打发人来叫他两个进去。凤姐洗了手，换了衣服，问他换不换，宝玉道：『不换。』也就罢了。仆妇们端上茶食果品，又倒上香茶来，凤姐等吃过茶，待他们收拾完备，便起身上车。外面旺儿预备赏封，赏了那庄户人家，那庄妇人等来谢赏。宝玉留心看时，并不见纺线之女。走不多远，却见这二丫头怀里抱了个小孩子，想是他的兄弟，同着几个小女孩子说笑而来。宝玉情不自禁，然身在车上，只得以目相送。一时电卷风驰，回头已无踪迹了。（忘了死人，快成三S——观光、购物、性旅游了。）

说笑间，忽已赶上大殡。早已前面法鼓金铙，幢幡宝盖，铁槛寺中僧众已列路旁。少时到了寺中，另演佛事，重设香坛，安灵于内殿偏室之中，宝珠安理寝室为伴。外面贾珍款待一应亲友，也有扰饭的，也有就告辞的，一一谢过乏，从公、侯、伯、子、男，一起一起的，散至未末方散尽了。里面的堂客皆是凤姐陪伴接待，先从诰命散起，也到晌午方散完了。只有几个近亲本族，等做过三日道场方去呢。那时邢王二夫人知凤姐必不能回家，

便要进城。王夫人要带了宝玉同去，宝玉乍到郊外，那里肯回去？只要跟凤姐住着，王夫人只得交与凤姐而去。

原来这铁槛寺是宁荣二公当日修造的，现今还有香火地亩，以备京中老了人口，在此停灵。其中阴阳两宅俱是预备妥帖的，好为送灵人口寄居。不想如今后人繁盛，其中贫富不一，或情性参商：有那家业艰难安分的，便住在这里了；有那有钱有势尚排场的，只说这里不方便，一定另外或村庄，或尼庵，寻个下处，为事毕宴退之所。即今秦氏之丧，族中诸人，皆权在铁槛寺下榻。独凤姐嫌不方便，因遣人来和馒头庵的姑子净虚说了，腾出两间房来做下处。原来这馒头庵就是水月寺，因他庙里做的馒头好，（『馒头』云云，无隐含坟墓之意乎？）就起了这个浑号，离铁槛寺不远。

当下和尚工课已完，奠过晚茶，贾珍便命贾蓉请凤姐歇息。凤姐见还有几个妯娌陪着女亲，自己便辞了众人，带了宝玉秦钟往水月庵来。原来秦业年迈多病，不能在此，只命秦钟等待安灵罢，那秦钟只跟着凤姐宝玉。（这也有几分怪处。秦氏之丧，娘家无人，弟弟秦钟了无悲痛，却居然有这样动天惊地的丧事举行。内里究竟有什么文章呢？）一时到了水月庵，净虚带领智善智能两个徒弟出来迎接，大家见过。凤姐等至净室更衣净手毕，因见智能儿越发长高了，模样越发出息了，因说道：『你们师徒怎么这些日子也不往我们那里去？』净虚道：『可是这几日都没有工夫，因胡老爷府里产了公子，太太送了十两银子来这里，叫请几位师父念三日「血盆经」，忙的没个空儿，就没有来请奶奶的安。』

不言老尼陪着凤姐，且说秦钟宝玉二人正在殿上玩耍，因见智能过来，宝玉笑道：『能儿来了。』秦钟说：『理那东西作什么？』宝玉笑道：『你别弄鬼！那一日在老太太房里，一个人没有，你搂着他作什么？这会子还哄我。』（邪

儿抿嘴笑道：『一碗茶也争，难道我手上有蜜！』（说得甜。）宝玉先抢得了，喝着，方要问话，只见智善来叫智能去摆果碟子，一时来请他两个去吃果茶。他两个那里吃这些东西？略坐一坐仍出来玩耍。

凤姐也略坐片时，便回至净室歇息，老尼相送。此时众婆娘媳妇见无事，都陆续散了，自去歇息，跟前不过几个心腹小婢，老尼便趁机说道：『我有一事，要到府里求太太，先请奶奶一个示下。』凤姐问：『何事？』老尼道：『阿弥陀佛！只因当日我先在长安县善才庵内出家的时节，那时有个施主姓张，是大财主。他有个女儿小名金哥，那年都往我庙里来进香，不想遇见了长安府太爷的小舅子李衙内。那李衙内一心看上，要娶金哥，打发人来求亲，不想金哥已受了原任长安守备的公子的聘定。张家若退亲，又怕守备不依，因此说已有了人家。谁知李公子执意要娶他女儿，张家正无计策，两处为难。不料守备家一知此信，也不问青红皂白，便来作践辱骂，说：「一个女儿许几家人家？」偏不许退定礼，就打官司告状起来。那家急了，只得着人上京来寻门路，赌气偏要退定礼。（红尘扰扰，尽是些鸡鸣狗盗，不三不四之事！）我想如今长安节度云老爷与府上相契，可以求太太与老爷说声，发一封书，

求云老爷和那守备说一声，不怕他不依。若是肯行，张家连倾家孝顺也都情愿。』（老尼居然管这样的事，又这样会说话会办事，对这一路人不可不防。中国的宗教神职人员早就世俗化了，故中国不需要文艺复兴。）

凤姐听了笑道：『这事倒不大，只是太太再不管这样的事。』老尼道：『太太不管，奶奶可以主张了。』凤姐笑道：『我也不等银子使，也不做这样的事。』净虚听了，打去妄想，半晌叹道：『虽如此说，只是张家已知我来求府里，如今不管这事，张家不知道没工夫管这事，不希罕他的谢礼，倒像府里连这点子手段也没有的一般。』（激到穴位上了。）

凤姐听了这话，便发了兴头，说道：『你是素日知道我的，从来不信什么阴司地狱报应的，凭是什么事，我说要行就行。你叫他拿三千两银子来，我就替他出这口气。』（凤姐正在兴头上，正在盛极之时。强悍而至于狠毒，没有任何约束了。）老尼听说，喜之不胜，忙说：『有，有！这个不难。』（凤姐显得幼稚了，轻易入了老尼的圈套。叫做『为逞能而逞能』了。）凤姐又道：『我比不得他们扯蓬拉牵的图银子。这三千两银子，不过是给打发去说的小厮们作盘缠，使他赚几个辛苦钱，我一个钱也不要。便是三万两我此刻还拿的出来。』（不全是吹，是真的。权威本身变成了目的，是权威的异化。）老尼忙答应道：『既如此，奶奶明日就开恩也罢了。』凤姐道：『你瞧瞧我忙的，那一处少了我？我既应了你，自然快快的了结。』（『那一处少了我』的自我感觉，既是真实的也是危险的。）老尼道：『这点子事，在别人跟前，就忙的不知怎么样；若是奶奶跟前，再添上些，也不够奶奶一发挥的。只是俗语说的：「能者多劳。」太太见奶奶大小事都妥帖，越发都推给奶奶了，奶奶也要保重贵体才是。』一路奉承的话，凤姐越发受用，也不顾劳乏，更攀谈起来。（不论多么精明的人，也吃不住几句奉承话，真了不得呀！）

谁想秦钟趁黑晚无人，来寻智能，刚至后面房中，只见智能独在那里洗茶碗。秦钟便搂着亲嘴，智能急的跺脚说：『做什么！』就要叫唤。秦钟道：『好人，我已急死了！你今儿再不依我，我就死在这里。』智能道：『你想怎么样？除非等我出这牢坑，离了这些人，才好呢。』秦钟道：『这也容易，只是远水救不得近火。』说着一口吹了灯，满屋漆黑，将智能抱到炕上，就云雨起来。那智能百般的挣挫不起，又不好叫的，少不得依了。正在得趣，只见一人进来，将他二人按住，也不出声，他二人唬得魂飞魄丧。倒是那人『嗤』的一声笑了，方知是宝玉。（这些地方反映了宝玉的灵肉二元论。宝玉在『肉』上，也是很不干净很不严肃的。）秦钟连忙起来抱怨道：『这算什么？』宝玉道：『你倒不依？咱们就叫喊起来。』羞的智能趁暗中跑了。宝玉拉着秦钟出来道：『你可还和我强？』秦钟笑道：『好人，你只别嚷的众人知道，你要怎样我都依你。』宝玉笑道：『这会子也不用说，等一会睡下再细细的算帐。』（露骨至此。宝玉可恶，不能一味美化。）一时宽衣安歇的时节，凤姐在里间，宝玉秦钟在外间，满地下皆是家下婆子打铺坐更。凤姐因怕『通灵玉』失落，便等宝玉睡下，令人拿来塞在自己枕边。宝玉不知与秦钟算何帐目，未见真切，此系疑案，不敢创纂。一宿无语。

至次日一早，便有贾母王夫人打发了人来看宝玉，又命多穿两件衣服，无事宁可回去。宝玉那里肯回去？又有秦钟恋着智能，调唆宝玉求凤姐再住一天。（整天关在府第里，确实痛苦。宝玉一出来，便觉有了兴味。）凤姐想了一想：丧仪大事虽妥，还有些小事未安排，可以借此再住一日，岂不又在贾珍跟前送了满情，二则又可以完了净虚的那件事，三则顺了宝玉的心。因有此三益，便向宝玉道：『我的事都完了。你要在这里逛，少不得越发辛苦了，明儿是一定要走的了。』宝玉听说，千『姐姐』万『姐姐』的央求：『只住一日，明儿必回去的。』于是又住了一夜。（越依仗家、离不开家，越想离家，不必宝玉，人人都是如此的。）

凤姐便命悄悄将昨日老尼之事说与来旺儿，旺儿心中俱已明白，急忙进城，找着主文的相公，假托贾琏所嘱，修书一封，连夜往长安县来。不过百里之遥，两日工夫，俱已妥协。（这原来叫『妥协』。）那节度使名唤云光，久悬贾府之情，这些小事，岂有不允之理，给了回书，旺儿回来，不在话下。

且说凤姐等又过了一日，次日方别了老尼，着他三日后往府里去讨信。那秦钟与智能，百般不忍分离，背地里多少幽期密约，俱不用细述，只得含恨而别。凤姐又到铁槛寺中照望一番。宝珠执意不肯回家，贾珍只得派妇女相伴。（宝珠没有别的选择。）且听下回分解。

在表现悲痛、庄严、排场、礼仪一丝不苟的丧事下面，玩尼姑，癖断袖，包揽词讼，仗势欺人。封建特权阶层的内幕委实怵目惊心。

贾宝玉也是生活在这个圈子这个氛围里的，至少在这一两回中，实看不出他与别的公子哥儿有什么不同。『弄权』云云，带有『为艺术而艺术』的性质，带有异化色彩，带有非功利性性质。并无功利目的，却要伸手干涉他人的事，更加令人毛骨悚然。

哀哉可卿，你的丧事中掺和着黑暗与罪孽。贾府不灭，世无天理。